Le petit guide des usages et coutumes

China
attitude!

Aussi soigneusement qu'il ait été établi, ce guide n'est pas à l'abri des changements de dernière heure, d'erreurs ou omissions. Ne manquez pas de nous faire part de vos remarques à l'adresse suivante : guidetourisme@hachette-livre.fr

HACHETTE TOURISME
Le petit guide des usages et coutumes
43, quai de Grenelle, 75905 Paris Cedex 15

Les petits guides des usages et coutumes sont des hors-séries de la collection Guides Bleus, publiée par Hachette Tourisme.

DIRECTION : Nathalie Pujo

DIRECTION ÉDITORIALE : Cécile Petiau

RESPONSABLE COLLECTION GUIDES BLEUS : Béatrice Hemsen

TRADUIT ET ADAPTÉ DE L'ANGLAIS PAR :
Dominique Brotot, avec la collaboration d'Elisabeth Boyer

ÉDITION ET MISE EN PAGES : Maogani

CRÉATION GRAPHIQUE COUVERTURE :
Susan Pak Poy (conception et réalisation)

REMERCIEMENTS :
Catherine Laussucq, Emilie Lézénès, Adam Stambul

Publié en Grande-Bretagne en 2010 par Kuperard
59 Hutton Grove, Londres N12 8DS
www.culturesmart.co.uk

IMPRIMÉ EN ESPAGNE PAR DEDALO

Dépôt légal : août 2011
ISBN : 978-2-01-245180-3
N° de codification : 24-5180-5

Photo de couverture : Rendez-vous quotidien pour les exercices de tai chi à Shanghai.
© Bertrand Gardel/hemis.fr

Le petit guide des usages et coutumes

Kathy Flower

L'auteur Productrice à la radio et à la télévision, Kathy Flower
s'est spécialisée dans l'enseignement de l'anglais pour les étrangers.
Après avoir vécu à Paris, où elle travaillait pour le British Council,
le centre culturel britannique en France, elle est partie à Pékin
où elle a animé, de 1981 à 1983, une série de cours d'anglais
diffusés par la télévision chinoise. Depuis, elle a effectué plusieurs
autres missions et séjours en Chine. Elle dirige aujourd'hui
une agence de production radio indépendante et partage son temps
entre le Sussex et le Sud de la France.

Hachette Tourisme remercie **CultureSmart!**Consulting pour son aide
dans la création de cette collection. Pour plus d'informations, consultez le
site www.culturesmart.co.uk

Sommaire

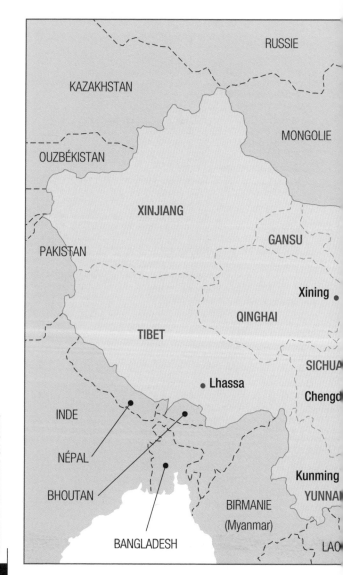

HEILONGJIANG

● Harbin

JILIN

MONGOLIE ● Changchun
INTÉRIEURE

Shenyang

MER
DU JAPON

Hohhot LIAONING
PÉKIN
● Tianjin ● CORÉE
Dalian

SHANXI
Shijiazhuang

GXIA Jinan JAPON

Taiyuan HEBEI
SHANDONG
Qingdao

Xi'an HENAN MER
JAUNE

Zhengzhou JIANGSU
SHAANXI
Nankin ● Shanghai

ANHUI

HUBEI Hefei ● Hangzhou

Wuhan
ZHEJIANG

ngqing
Changsha ● Nanchang MER DE CHINE
ORIENTALE

JIZHOU JIANGXI FUJIAN
HUNAN
iyang Guilin Fuzhou

GUANGXI Xiamen
GUANGDONG TAÏWAN

Canton ● Shantou

Zhuhai ● Shenzhen

ning
Macao Hong Kong OCÉAN PACIFIQUE

ETNAM MER DE CHINE MÉRIDIONALE

Introduction

Dans les années 1980, une amie chinoise m'a invitée à dîner dans son minuscule appartement au sol en béton. Sa belle-mère est venue inspecter l'étrange créature que je représentais. D'un ton assez dédaigneux, elle m'a demandé si nous avions du riz et si nous buvions du thé en Occident. Puis, montrant d'un air triomphal ses tout petits pieds, atrophiés par bandage quand elle avait sept ans et qu'elle vivait dans un bourg de province, elle a déclaré : « Eh bien, je parie que vous n'avez pas ça ! »

Mon amie est devenue professeur d'université et parle couramment l'anglais, son petit-fils travaille pour une société occidentale après avoir fait ses études supérieures à Londres. Cette anecdote offre un raccourci de la Chine d'aujourd'hui.

Pendant des milliers d'années, les Chinois ont cru avoir créé un système social parfait. Malgré les invasions et la succession des dynasties, la « sinnitude » n'a pour l'essentiel pas changé jusqu'au XXe siècle. La lutte contre les occupants japonais, à partir de 1937, puis une guerre civile ont permis au Parti communiste de prendre le pouvoir le 1er octobre 1949. Sous la direction de Mao Zedong, il a soumis le pays à une révolution presque continuelle, au coût souvent terrible. La Chine s'est ainsi retrouvée pour une grande part coupée du reste du monde. La mort du « Grand Timonier », en 1976, a permis l'ouverture du pays et sa conversion partielle à l'économie de marché, une évolution baptisée « socialisme aux caractéristiques chinoises ». Des salaires très bas et un yuan sous-évalué ont transformé la Chine en « atelier du monde » par le labeur de millions d'ouvriers travaillant pour l'exportation. Le pouvoir économique ainsi acquis lui donne désormais les moyens d'aspirer au rang de superpuissance, une ambition clairement exprimée lors de l'accueil des Jeux olympiques en 2008 ou de l'Exposition universelle de Shanghai en 2010.

La crise économique planétaire qui s'est déclenchée peu après a aussi eu des conséquences en Chine. Des usines ont fermé et des millions de travailleurs migrants ont dû retourner à la campagne ou tenter leur chance ailleurs. Le gouvernement a encouragé la consommation intérieure avec un relatif succès, et le peuple chinois a réussi à négocier ce passage difficile grâce à son infinie patience et son optimisme naturel. Une chose est certaine toutefois : il ne pourra plus jamais survivre dans un parfait isolement du reste du monde.

Les Chinois ont toujours eu une vision à long terme des événements. Ils sont fiers de leur civilisation millénaire comme de leurs accomplissements modernes. Mais cette fierté ne s'accompagne plus de la méfiance et de la xénophobie ignorante de jadis. La jeune élite urbaine et éduquée ne demande qu'à aborder des sujets auparavant « interdits ». Cet ouvrage a pour but de situer toutes ces transformations dans un contexte historique, d'expliquer des attitudes culturelles enracinées et de guider le visiteur à travers le dédale de contextes sociaux déconcertants. Nous espérons qu'il vous aidera à découvrir la chaleur, l'intelligence et le potentiel du peuple chinois.

J'aimerais dédier ce livre à mes amis en Chine.

En bref

Nom officiel	• République populaire de Chine ; en mandarin, *Zhonghua Renmin Gonghe Guo* (ZRGG). • L'île de Taïwan forme un État indépendant baptisé « République de Chine ».
Capitale	• Pékin (Beijing).
Villes principales	• Chongqing, Shenyang (Mukden), Wuhan, Nankin (Nanjing), Harbin. • Ports principaux : Tianjin, Shanghai, Qingdao (Tsingtao), Canton (Guangzhou).
Superficie	• 9 571 300 km². • La Chine est le troisième pays du monde par sa superficie.
Topographie	• Montagnes, déserts et bassins arides au nord et au nord-ouest. Montagnes au sud. Collines et plaines à l'est. • Des montagnes et des déserts occupent les deux tiers du pays. L'Est est irrigué par le fleuve Jaune (Huanghe), le Yangzi (Chang Jiang) et le Xi Jiang.
Climat	• Le Nord aride connaît de grands écarts de température avec des étés torrides et des hivers secs et froids. Il pleut toute l'année dans le Sud tandis que l'Est est plus tempéré.
Population	• 1,34 milliard. • Près d'un habitant de la planète sur quatre vit en Chine, le pays le plus peuplé du monde.

Densité de population	• Moyenne nationale : 136,8 hab./km². Shanghai : 2 976 hab./km² ; Pékin : 876 hab./km² ; Tibet : 2 hab./km². • La majorité de la population vit dans les plaines inondées du Centre oriental.
Rapport campagne/ville	• 47 % de la population vit en zone urbaine. • La différence de revenus entre les villes et la campagne compte parmi les plus importantes du monde.
Composition ethnique	• Les Han représentent 92 % de la population. 55 « minorités nationales » forment le reste. • Les minorités ethniques sont concentrées dans des régions frontalières, d'où leur importance politique.
Structure d'âges	• Moins de 15 ans : 17,6 % ; de 15 à 64 ans : 73,5 % ; plus de 65 ans : 8,9 %.
Espérance de vie à la naissance	• Hommes : 72,5 ans. • Femmes : 76,7 ans.
Alphabétisation	• 95 % (recensement 2010).
Langues	• Il existe sept principales langues chinoises partageant la même écriture, dont le mandarin (langue officielle), le cantonais et le wu. Les minorités ont leurs propres langues.
Religions	• Athéisme d'État. Traditions confucianiste, taoïste et bouddhiste. • Groupes religieux minoritaires : musulmans, catholiques et protestants.

Gouvernement	• République communiste dirigée par le Parti communiste depuis 1949. Pas d'élections démocratiques.
Économie	• La Chine est en train de passer d'une économie planifiée à une économie de marché. Les sociétés nationales cèdent la place à des entreprises privées. • La faiblesse des salaires en Chine procure une main-d'œuvre très bon marché aux nations industrialisées plus riches.
Monnaie	• Renminbi (RMB) ou « monnaie du peuple ». Plus connu sous le nom de yuan. • 1 yuan = 10 jiao = 100 fen. Il existe des billets de 1, 5, 10, 50 et 100 yuans. • Taux de change : 1 € = environ 9,25 RMB (début 2011).
Ressources naturelles	• Nombreuses. Pétrole en mer de Chine méridionale, vastes réserves de minerais, forêts dans le Sud.
Agriculture	• Les terres agricoles exploitables ne représentent plus que 10 % du territoire. La Chine a cessé d'être autosuffisante sur le plan alimentaire.
Taux de croissance	• Le PIB a connu un taux moyen de croissance annuelle de 10 % au cours des vingt dernières années.
Principales exportations	• Produits manufacturés, entre autres textiles, électronique et armement.
Électricité	• 220 V, 50 Hz. Les prises diffèrent selon les endroits. Prévoir un adaptateur universel.

Médias traditionnels	• L'organe officiel du parti, *Renmin Ribao (Le Quotidien du Peuple)*, reste la voix du pouvoir, mais gagne progressivement en autonomie. À côté des 16 chaînes de télévision nationale (CCTV), il existe quelque 300 chaînes et stations de radio régionales. Le nombre de diffuseurs étrangers augmente. 566 éditeurs publient plus de 2 000 quotidiens et 8 000 magazines.
Médias en langue étrangère	• La CCTV diffuse des émissions en anglais et en français. Des quotidiens en anglais paraissent à Pékin, Shanghai et Shenzhen. Quelques publications culturelles et magazines de programmes s'adressent à un lectorat étranger.
Internet	• Internet touche 384 millions de personnes en Chine, ce qui représente 28,7 % de la population (2009). • Il existe des milliers de sites Internet en chinois. Le commerce électronique est en pleine croissance.
Adresses Internet	• .cn
Vidéo et TV	• Système PAL. 96 % des foyers ont accès à la télévision.
Téléphone	• Indicatif depuis l'étranger : 00 86.
Décalage horaire (Paris)	• + 7 heures en hiver ; + 6 heures en été. • Tout le pays vit à l'heure de Pékin.

Cinq mille ans d'histoire

La civilisation chinoise a vu le jour dans les plaines alluviales de l'Est. Il y a trois mille ans, leurs habitants tissaient la soie, sculptaient le jade, fondaient le bronze, fabriquaient une poterie sophistiquée, cultivaient le blé, le millet et le riz, et enregistraient les événements grâce à une écriture constituée de milliers de caractères. Ils utilisèrent l'arbalète quinze siècles avant les Européens. Mille ans avant la révolution industrielle en Occident, ils possédaient des fours à coke et des hauts-fourneaux. Leurs découvertes scientifiques, parvenues par vagues successives en Europe, ont permis le développement de nombre des composantes du monde moderne. L'art, l'architecture, la littérature et la philosophie de la Chine restent une source d'inspiration partout dans le monde.

Les Chinois évoquent avec fierté leur histoire longue de cinq mille ans, mais ses origines sont plus anciennes encore. Les archéologues ont en effet mis au jour des sites néolithiques datant d'avant le Vᵉ millénaire avant Jésus-Christ. Selon la chronologie traditionnelle, la première dynastie connue, les Xia, gouverne de – 2100 à – 1600 environ. Sous les Shang (– 1600 à – 1025), qui leur succèdent, une culture sophistiquée se développe dans la basse vallée du fleuve Jaune. Elle possède une écriture propre et démontre une grande maîtrise dans le travail du bronze. C'est aussi sous la dynastie des Shang qu'est établi le premier calendrier chinois.

Le mandat du Ciel

Les Zhou, qui renversent les Shang, viennent de l'Ouest. Ils se maintiennent au pouvoir pendant près de huit siècles, période qui voit l'introduction de la monnaie, de la métallurgie du fer, d'une législation écrite et du confucianisme. Sous leur règne apparaît le concept du Ti'en Ming, selon lequel le Ciel donne mandat aux gouvernants avisés et le retire à ceux qui font un usage perverti du pouvoir. Le souverain prend le titre de « Fils du Ciel ». Le « mandat du Ciel » intégrera plus tard l'idée taoïste selon laquelle le Ciel provoque les catastrophes naturelles pour manifester sa désapprobation à l'encontre des mauvais souverains.

L'ère des Zhou connaît une fin mouvementée. Les conflits entre principautés conduisent à la désintégration du pouvoir unifiant le territoire. L'époque suivante, dite des Royaumes combattants (475 – 221 av. J.-C.), s'achève par la victoire des Qin, originaires de l'Ouest. Leur nom, prononcé « Tsin », est à l'origine du mot « Chine ».

C'est sous la férule du prince Zheng de Qin que le monde chinois est unifié. S'attribuant le titre de *huangdi*,

C'est pendant la période Zhou que se développe chez les Chinois la conscience de leur supériorité culturelle et de leur destin unique, prééminence exprimée par la formule *Zhong Guo*, « pays du Milieu ». Celle-ci, qui fait de la Chine le centre du monde, reléguant tous ceux qui n'y appartiennent pas au rang de barbares, est encore utilisée aujourd'hui. Le terme *waiguoreni*, qui désigne un étranger, signifie littéralement « personne d'un pays extérieur ». Vous entendrez peut-être aussi *yang gweize* (« diable étranger »), mais il s'agit le plus souvent d'une plaisanterie.

Premier Empereur, il prend le nom de Qin Shi, institue un gouvernement centralisé et uniformise l'écriture, la monnaie et les systèmes de poids et mesures. Il construit un réseau de routes qui rayonne depuis sa capitale, près de l'actuelle Xi'an, jusqu'aux confins de l'immense domaine qu'il contrôle. Des milliers de travailleurs forcés complètent les fortifications destinées à protéger la frontière nord des tribus des steppes d'Asie centrale. De cette « Grande Muraille », inscrite au patrimoine mondial de l'Unesco, subsistent plus de 6 000 km de remparts. Gardée par une armée composée de milliers de soldats en terre cuite, la tombe de Qin Shi Huangdi est devenue un haut lieu touristique.

Ses successeurs échouent à conserver le pouvoir et, après une brève période de guerre civile, les Han de l'Ouest (de - 206 av. J.-C. à 220) prennent les rênes de l'empire. Au cours de leurs quatre siècles de règne, ils accentuent la centralisation et repoussent les frontières de l'empire en Asie centrale, ouvrant la route de la soie. C'est par cette voie que pénètre en Chine le bouddhisme, philosophie religieuse née en Inde. Pour recruter des fonctionnaires compétents, l'empereur met en place un système d'examens qui restera pratiquement inchangé pendant quelque deux millénaires. La sélection des candidats repose sur leur connaissance des enseignements de Confucius. C'est toujours le terme *Han* qu'utilisent les Chinois pour désigner l'ethnie majoritaire du pays, *hanyu* étant un des noms de leur langue.

Une nouvelle guerre civile met un terme à cette période d'unité. Trois royaumes s'affrontent en un conflit finalement remporté par les Wei sur les Shu et les Wu, puis l'empire se trouve divisé entre des dynasties du Nord et du Sud. Le confucianisme perd du terrain face au bouddhisme et au taoïsme. Le Nord subit les premiers assauts de nomades venus des steppes, les Huns. Malgré la brièveté de son règne, la dynastie Sui (de 581 à 618) réussit à rendre sa cohésion à l'empire, à repousser les envahisseurs et à renforcer la Grande Muraille.

Un âge d'or

Le pays connaît ensuite, sous les Tang (de 618 à 906), une période de prospérité particulièrement favorable aux arts. Par son importance et son rayonnement, la capitale, Chang'an (aujourd'hui Xi'an), dépasse Constantinople,

À voir avant de partir

À la fois reflet de l'histoire et de l'art chinois, ces musées sont une bonne introduction aux spécificités culturelles du pays.
- **Musée Guimet, Paris**
- **Musée Cernuschi, Paris**
- **Musée du quai Branly, Paris**
- **Musée des Arts asiatiques, Nice**
- **Musée des Arts asiatiques, Toulon**
- **Musée de la Compagnie des Indes, Lorient (porcelaines de Chine du XVIIIe siècle)**
- **Cité de la Céramique, Sèvres (département asiatique)**
- **Musée des Tissus, Lyon (collection Extrême-Orient)**

pôle de l'Empire romain. Elle possède une population de 1 million d'habitants intra-muros. La tolérance religieuse y règne et les représentants de peuples très variés s'y côtoient. Ces échanges nourrissent une culture florissante qui a pour fleurons la céramique et la poésie.

Les Tang poursuivent en outre la construction de canaux reliant différentes parties du territoire et créent un réseau d'auberges où peuvent faire étape les fonctionnaires en déplacement, les marchands et les pèlerins. Leur exemple marquera l'action des dynasties postérieures, mais, jusqu'au XXe siècle, jamais la Chine ne retrouvera des échanges aussi intenses avec l'étranger que sous la dynastie des Tang.

Quand la lignée entre en décadence, le Nord de la Chine actuelle passe sous le contrôle de peuples des steppes, tandis que le Sud traverse la période agitée des Cinq Dynasties et des Dix Royaumes.

Les Song (de 960 à 1279) rétablissent l'ordre et s'attellent à un ambitieux programme de développement économique et artistique. Ils relâchent toutefois leur attention sur les frontières, et les Mongols lancent leurs premières incursions. Le « pays du Milieu » se replie sur lui-même, mais des étrangers continuent de s'y frayer un chemin, parfois comme ambassadeurs ou pour commercer. Le plus célèbre de ces voyageurs, le Vénitien Marco Polo, y séjourne de 1275 à 1292. Il y découvre de riches cités, plus grandes qu'aucune en Europe, et une société sophistiquée. Le récit de son aventure n'a jamais cessé de faire rêver.

Quand Marco Polo atteint la Chine, la Grande Muraille a cédé en 1215 devant les Mongols de Gengis Khan. Son fils, Qubilaï Khan, achève la conquête et fonde la dynastie Yuan (1260 à 1368). Les Yuan gouvernent avec une poigne de fer mais non sans efficacité, développant les échanges commerciaux à l'intérieur des frontières comme avec l'étranger, améliorant les réseaux routiers jusque dans l'actuelle Russie et mettant même en place un système de prévention des famines.

Des rivalités au sein de l'aristocratie et des révoltes paysannes permettent à un général d'origine modeste, le chef rebelle Zhu Yuanzhang, de chasser les Mongols et de s'imposer comme le premier empereur Ming. La dynastie « brillante » (1368 à 1644) s'assure du contrôle de la Mongolie et transfère la capitale à Pékin, édifiant

Les débuts de la xylographie, impression sur papier ou sur soie à partir de blocs de bois gravés, datent du VIIe siècle. Le plus vieux livre imprimé du monde qui nous est parvenu est un texte bouddhiste datant de 868. Les Chinois inventent aussi le caractère mobile au XIe siècle, l'ancêtre de l'impression typographique au plomb mise au point en Europe par Gutenberg quelques siècles plus tard. Les milliers de signes différents de leur écriture n'en rendaient toutefois pas l'usage très pratique.

en son cœur la Cité interdite. Elle se révèle particulièrement stable, mais au prix d'un autoritarisme qui étouffe la liberté intellectuelle et l'initiative personnelle. Malgré le succès rencontré sur les marchés d'Asie par ses produits de luxe comme la soie et la porcelaine, le pays finit par perdre de son dynamisme.

L'intervention européenne

Les premiers navires européens à atteindre la Chine, en 1516, ont à leur bord des Portugais. Ces derniers obtiennent l'autorisation d'ouvrir un comptoir commercial à Macao. Les Britanniques, les Hollandais et les Espagnols ne tardent pas à les suivre. Mais l'intrusion la plus décisive à court terme se produit au Nord. En 1644, les Mandchous prennent Pékin et fondent la dernière dynastie impériale : les Qing. Désireux d'imposer leur contrôle sur le commerce avec les Européens, les nouveaux maîtres du pays obligent les marchands étrangers à se fixer à Canton (Guangzhou). La mesure ne suffit cependant pas à empêcher le début d'un négoce qui deviendra un symbole de l'impérialisme occidental : la vente par les Britanniques de l'opium cultivé en Inde.

Le trafic de l'opium

D'un point de vue contemporain, échanger de l'opium contre du thé et de la soie revient ni plus ni moins à trafiquer de la drogue. Il faut pourtant se rappeler que, pendant longtemps, l'humanité n'a pas connu de meilleur analgésique. L'opium était également utilisé comme relaxant musculaire, pour oublier la faim et lutter contre la diarrhée. Les risques de dépendance étaient connus, mais son usage va rester légal et courant dans de nombreux pays jusqu'à la fin du XIXᵉ siècle.

En Chine, la toxicomanie à l'opium se développe rapidement au cours de la seconde moitié du XVIIIᵉ siècle, notamment dans l'armée, engagée dans des campagnes éprouvantes où sévit la dysenterie. L'empereur tente d'en interdire la vente en 1800, mais son décret n'a pas d'impact face aux intérêts des négociants étrangers et de leurs intermédiaires locaux. La contrebande reste florissante jusqu'en 1839 quand le gouverneur de Canton ordonne la destruction de 20 000 caisses d'opium, déclenchant la Première guerre de l'Opium (1839-1842). Grâce à leurs canonnières, les Britanniques obtiennent que Pékin leur cède Hong Kong, et ouvre quatre autres ports au négoce international. Trois autres conflits, auxquels participent également Russes, Français et Américains, se déroulent au XIXᵉ siècle, donnant des Occidentaux l'image durable de « diables étrangers ». En 1860, ils ont obtenu d'énormes concessions et de lourds dédommagements.

En 1875, Guangxu monte sur le trône à l'âge de trois ans. Mais le pouvoir se trouve aux mains de sa tante, l'impératrice douairière Cixi. Incapable d'engager le pays sur la voie de la modernité, elle préside à sa désintégration, qui va toucher d'abord la périphérie. À partir de 1884, les Français imposent leur protectorat sur le Tonkin (Nord du Vietnam), jusqu'alors partie de l'empire, et les Britanniques s'emparent de la Birmanie. Le Japon obtient Taïwan et incorpore la Corée à sa sphère d'influence. En 1898, la Russie, la Grande-Bretagne, la France et l'Allemagne entament le découpage de la zone continentale. Les États-Unis proposent une politique de libre-échange plutôt que l'encouragement de « sphères d'influence ».

La révolte des Boxeurs

La seconde moitié du XIXᵉ siècle est aussi marquée en Chine par plusieurs révoltes paysannes qui dévastent certaines de ses régions les plus prospères. Des catastrophes naturelles en alourdissent les conséquences. La détresse populaire donne naissance à des sociétés secrètes, notam-

ment celle des « Poings de la justice et de la concorde »,
dont les membres s'entraînent au kung-fu, ce qui leur
vaut le surnom de Boxeurs. Cette secte est hostile aux
chrétiens et aux étrangers, et l'impératrice Cixi décide de
l'utiliser pour reprendre la main face aux Occidentaux. En
juin 1900, les Boxeurs marchent en masse sur Pékin où,
soutenus par l'armée impériale, ils investissent le quartier
des légations. Les troupes réunies par l'Alliance des huit
nations *(bâgúo liánjûn)* lèvent le siège, provoquent la fuite
de la Cour et exercent une répression sanglante.

À la mort de Cixi et de Guangxu en 1908, le trône
revient à Puyi, âgé de deux ans. Son destin inspirera à
Bernardo Bertolucci son film *Le Dernier Empereur* (1987).
Un soulèvement conduit à l'instauration de la République
en 1912. Le leader nationaliste Sun Yat-sen, toujours célébré aujourd'hui comme le père de la Chine moderne, en
prend la tête. Il fonde le parti du Guomindang.

Les Seigneurs de la guerre

Dès 1913, le général Yuan Shikai s'empare du pouvoir. Il
a pour ambition de rétablir l'empire à son avantage, mais
ne parvient pas à ses fins. À sa mort en 1916, toute forme
de gouvernement central efficace s'effondre. Le pays est
ravagé par des conflits entre chefs militaires locaux. En
1919, le Japon obtient les possessions de l'Allemagne en
Chine. En 1921, Sun Yat-sen installe à Canton un gouvernement de réunification. Il a le soutien de l'Union

soviétique et, pour combattre les Seigneurs de la guerre (des chefs militaires exerçant leur contrôle sur une partie du territoire national), il s'associe au Parti communiste (Guomindang), créé la même année. Il décède en 1925 et son successeur à la tête du Guomindang, Chiang Kai-shek, rompt l'alliance.

La guerre civile qui en découle impose de terribles souffrances au peuple : des enfants travaillent en usine douze heures par jour, on meurt de faim dans les rues et des charrettes circulent la nuit pour ramasser les cadavres. Les Japonais profitent de la situation pour prendre, en 1932, le contrôle de la Mandchourie et y créer l'État du Mandchoukouo, dont Puyi devient l'empereur fantoche. En 1937, ils s'emparent de Shanghai. Les communistes, encerclés depuis 1930 dans les montagnes du Jiangxi, fuient l'armée du Guomindang et entament en 1934 la Longue Marche, qui s'achève à Yan'an en 1936 et au cours de laquelle Mao Zedong va s'affirmer comme le chef des communistes. Communistes et nationalistes se réconcilient toutefois pendant la Seconde Guerre mondiale pour repousser les envahisseurs japonais.

Si Chiang Kai-shek bénéficie de l'assistance des États-Unis et de la Grande-Bretagne à partir de 1941, cette aide ne suffira pas à lui éviter la défaite face à l'Armée rouge de Mao Zedong. Il s'enfuit en 1949 sur l'île de Formose (future Taïwan) en emportant la réserve d'or du pays. Sur le continent, la République populaire de Chine est proclamée le 1er octobre, sur la place Tian'an men, à Pékin.

La République populaire

La vie des Chinois connaît d'abord une nette amélioration et le début des années 1950 est souvent considéré comme la meilleure période du règne de Mao. Mais ce dernier lance en 1958 un plan d'industrialisation et de collectivisation à marche forcée baptisé le « Grand Bond en avant ». Celui-ci se révèle un grand désastre. Inondations et sécheresses aggravent la situation en 1959 et 1960. Alors que la famine tue des millions de personnes, la rupture avec l'Union soviétique prive la Chine de l'aide que lui apportait le « grand frère communiste ». Liu Shaoqi et Deng Xiaoping écartent Mao Zedong du contrôle de la politique économique et redonnent une place à l'initiative individuelle et à la propriété privée.

La Révolution culturelle

Pour rétablir son emprise sur le parti, Mao déclenche ce qu'on a appelé la « Grande Révolution culturelle prolétarienne » ou Révolution culturelle. Elle a pour fer de lance les jeunes gardes rouges, qui ont pour mission de « porter haut l'étendard de la pensée de Mao Zedong et transformer l'éducation, la littérature et les arts pour faciliter le développement du système socialiste ». De 1965 jusqu'à la mort du Grand Timonier, qui succombera à la maladie de Parkinson le 9 septembre 1976, la Révolution culturelle soumet le pays à la violence gratuite et au chaos organisé. Des écoles et des universités ferment, les enseignants sont humiliés et persécutés, toute personne accusée d'intellectualisme ou de penchants bourgeois risque les pires sévices, la mort ou l'envoi en camp de travail. La culture devient un instrument de contrôle. Les librairies ne proposent pratiquement plus que les *Citations du président Mao Zedong,* plus connues en français sous le nom de *Petit Livre rouge,* tandis que la femme du Grand Timonier, Jiang Qing, réduit la seule musique autorisée aux huit « opéras révolutionnaires modèles » jugés suffisamment prolétaires. Les victimes se comptent par millions. L'image de dynamisme et d'assurance offerte par la Chine d'aujourd'hui paraît inconciliable avec un tel déferlement de brutalité, et pourtant il s'est réellement produit.

La politique de la porte ouverte

Mao Zedong se met tout de même à soutenir les efforts de rétablissement de l'ordre du Premier ministre Zhou Enlai à partir de 1970. En 1972, la visite du président américain Richard Nixon offre au pays une première occasion de sortir de son isolement. À la mort de Mao, l'arrestation de la Bande des Quatre (l'épouse de Mao et trois de ses proches) met un terme à la Révolution culturelle. Le pragmatique Deng Xiaoping revient au pouvoir en 1977. Il s'emploie à rendre sa place à la Chine au sein de la communauté internationale et, fidèle à son dicton

(« Peu importe la couleur d'un chat, ce qui compte c'est qu'il attrape les souris »), il commence à libéraliser l'économie et à l'ouvrir sur l'extérieur. Ses successeurs n'ont, depuis, pas dévié de cette politique.

Après un siècle de bouleversements, les Chinois reconstruisent leur société civile. Depuis 1979, leur PIB a doublé environ tous les sept ans et demi, et ils sont presque revenus à l'autosuffisance alimentaire. Beaucoup plus d'enfants ont accès à une eau potable, à des vaccins et à des soins médicaux de base. L'espérance de vie a plus que doublé, passant de 36 ans en 1960 à 73 ans en 2007.

Le régime ne renonce pas pour autant à son autoritarisme, comme en témoignent les événements de la place Tian'an men en 1989. Mais ce massacre ne replonge pas le pays dans la guerre civile, comme beaucoup le redoutaient. En 1997, la rétrocession de Hong Kong par la Grande-Bretagne ne s'accompagne pas d'une reprise en main musclée. Ce territoire conserve son système légal et politique et, en 2010, Reporters sans frontières le classe avant la France pour le respect de la liberté de la presse (34e place, contre 44e pour la France).

Le retour de la Chine dans le concert des nations se confirme avec, notamment, son soutien déclaré à la campagne antiterroriste menée par les États-Unis et l'organisation des Jeux olympiques en 2008. Mais le signe le plus manifeste de sa volonté de normaliser ses rapports internationaux est sans doute son adhésion à l'Organisation mondiale du commerce, en 2001, au terme de négociations qui auront duré quinze ans.

Le pays et les hommes

Territoire et climat

La République populaire de Chine couvre une superficie de 9,6 millions de kilomètres carrés, et seuls la Russie et le Canada la dépassent en taille. Ses dimensions maximales sont d'environ 5 000 km du nord au sud et 5 200 km d'est en ouest. Elle possède 22 800 km de frontières terrestres. Son territoire comprend plus de 5 400 îles, pour certaines de simples rochers qui n'apparaissent qu'à marée basse.

Le pays s'étend en latitude sur cinq fuseaux horaires, mais vit tout entier à l'heure de Pékin. Ainsi, au Xinjiang, province située à près de 5 000 km à l'ouest de la capitale, il fait encore nuit à 10 h du matin.

La plupart des fleuves coulent d'ouest en est pour se jeter dans l'océan Pacifique. Avec un cours de 6 300 km, le Yangzi est le troisième plus long fleuve de la planète après l'Amazone et le Nil. Le fleuve Jaune (Huanghe), dont la plaine est le berceau de la civilisation chinoise, a un lit d'une longueur de 5 464 km mais, depuis plusieurs années, il s'assèche pendant des mois sur des centaines de kilomètres près de son delta. D'une superficie de

4 583 km², le plus grand lac salé du pays, le Qinghai Hu, s'étend sur le plateau tibétain, à l'extrême ouest.

Le climat tropical chaud et humide du Sud lui vaut de rester vert toute l'année. Le Sud-Ouest jouit d'un climat tempéré et clément, et ses reliefs boisés nimbés de brume composent de splendides paysages. Dans ses forêts de bambous vivent les pandas géants, devenus un symbole national. De nombreuses plantes acclimatées en Europe par les botanistes du XIXᵉ siècle, comme le rhododendron, en sont originaires. Les régions côtières de l'Est bénéficient des influences océaniques tièdes et humides, et les quatre saisons y sont distinctement marquées. Le Nord a des étés chauds et courts, au taux d'humidité (60 %) désagréable. En revanche, les hivers longs et froids ont un taux d'humidité de 2 %, qui, associé à la pollution et aux vents chargés de sable du désert de Gobi, provoque des problèmes respiratoires.

Au nord de Pékin s'étend l'immense steppe désertique du plateau de la Mongolie intérieure. En hiver, la température y descend parfois jusqu'à – 40 °C, mais de belles journées ensoleillées contribuent à la rendre supportable.

La plus haute montagne du monde, l'Everest, s'élève à la frontière occidentale, où la chaîne de l'Himalaya compte quarante sommets de plus de 7 000 m d'altitude. Au nord-ouest, le bassin de Tarim est le plus vaste bassin continental du monde. À l'est, la dépression de Turpan doit son surnom d'« oasis de feu » à ses températures estivales qui peuvent grimper jusqu'à 50 °C. Peuplé d'Ouïghours turcophones, le Xinjiang renferme aussi le

Une colonisation qui ne dit pas son nom

Malgré sa taille immense, le territoire chinois est pour une grande part presque inhabitable et 90 % de la population se serrent sur environ la moitié de sa superficie. Le pouvoir favorise l'installation de Han, membres de l'ethnie majoritaire, dans des provinces faiblement peuplées comme le Tibet et le Xinjiang, ce que leurs habitants vivent comme une colonisation. À leurs mouvements de protestation répond une impitoyable répression. La plupart des Han n'apprécient toutefois pas ces régions. Pendant des siècles, ils ont principalement vécu dans les plaines fertilisées par les dépôts de limon du fleuve Jaune et du Yangzi, les plus riches zones agricoles du pays.

désert de Taklamakan, le plus vaste de Chine. Les caravanes qui empruntaient la route de la soie ont assuré pendant des siècles la prospérité des oasis qui le bordent au nord et au sud. Cet itinéraire commercial a rendu la région très disputée, malgré son aridité. Le gouvernement y exploite aujourd'hui une autre richesse : d'importants champs de pétrole.

Le développement urbain

La Chine est le pays le plus peuplé du monde. Sa population a doublé pendant les trente ans qui ont suivi la formation de la République populaire. Le Parti communiste a commencé par encourager la tendance traditionnelle à fonder de grandes familles pour la mise au monde de nouveaux révolutionnaires. Mais, à partir de 1979, il s'est efforcé par tous les moyens d'imposer la politique terriblement impopulaire de l'enfant unique. Cette politique s'est révélée efficace surtout dans les villes auprès de la classe moyenne éduquée, moins dans les campagnes où vivent toujours plus de deux Chinois sur trois. Selon les estimations officielles, il naît 25 millions d'enfants chaque année, tandis que l'augmentation de l'espérance de vie accroît la pression démographique à l'autre extrémité de la courbe.

Les réformes économiques récentes ont généré de très importantes disparités. En 2010, le salaire annuel moyen était de 33 000 RMB (3 600 €), mais 3,5 % de sa population vivait en dessous du seuil de pauvreté, selon les critères chinois (1 100 RMB). Cependant, si l'on se réfère aux normes de l'ONU (1 $ par jour et par personne), la pauvreté toucherait 150 millions de personnes, dont une grande majorité de ruraux. La disparité concerne donc tout autant l'échelle des salaires que les zones géographiques, les campagnes étant les plus touchées par ce fléau. Malgré les restrictions administratives, des millions de paysans quittent chaque année la campagne pour chercher du travail en ville. En partie grâce à l'argent qu'ils envoient à leur famille, le niveau de vie s'est globalement amélioré au cours des vingt dernières années et la Banque mondiale estime qu'en 2020 le revenu moyen individuel approchera celui des Portugais dans les années 1990. Il restera toutefois de moitié inférieur à celui des Nord-Américains.

Afin de réduire la pression qui s'exerce sur les agglomérations, le gouvernement favorise les migrations vers des régions peu peuplées et construit des villes nouvelles – une par semaine selon certains rapports. Le taux d'urbanisation, qui était de 36 % en 2000, est de 47,5 % en 2010 et devrait atteindre 60 % en 2030 si aucune inversion de la courbe ne s'amorce. La densité de population dans les grandes villes est souvent très élevée. Elle atteint son maximum à Shanghai, avec 2 700 hab./km^2. À titre de comparaison, le Tibet montagneux compte à peine 2 hab./km^2. Les villes de l'Est restent les plus développées. Plus riches, elles possèdent de meilleurs établissements éducatifs, hôpitaux et bibliothèques. Elles abritent davantage de commerces où trouver un plus large éventail de produits. La vie culturelle y est plus intense et elles offrent plus d'opportunités aux hommes d'affaires, autochtones comme étrangers.

Les Han et les nombreuses minorités nationales

Quand ils parlent des Chinois, les Occidentaux désignent en général les Han, l'ethnie majoritaire, qui représente 92 % de la population du territoire. Les 8 % restants (soit un peu plus de 100 millions de personnes quand même !) appartiennent aux 55 minorités officiellement reconnues. Leurs membres vivent aux confins nord-ouest et sud-ouest du pays, dans des régions d'habitat traditionnel où ils ont tendance à rester et à préserver leurs coutumes, langues, costumes et religions plutôt que de s'intégrer à la culture dominante. Au nord-ouest, tout près des frontières avec le Pakistan, l'Afghanistan, l'Inde et la Russie, ils sont en majorité musulmans. Les Tibétains, les Mongols, les Lhoba, les Monba, les Tu et les Yugur sont lamaïstes. Les Dai, les Blang et les De'ang associent animisme et bouddhisme theravâda. Pour une grande part, les Miao, Tao et Yi ont été christianisés.

Les autorités chinoises ont à leur égard une attitude qui s'efforce de concilier tolérance et contrôle. Entre autres, elles ne leur imposent pas la politique de l'enfant unique. En même temps, au Tibet et au Xinjiang, elles favorisent l'implantation en masse de Han qui n'ont rien perdu de leur foi en la supériorité de leur culture. Le gouvernement a contribué à donner une écriture à des ethnies, dont les Zhuangs, les Buyei, les Miaos, les Dong, les Hani et les Li, qui n'avaient qu'une langue orale jusqu'en 1949. Il n'en promeut pas moins l'apprentissage du mandarin, la langue nationale officielle.

L'attention accordée aux minorités est motivée par leur importance géopolitique, sans commune mesure avec leur faible représentation démographique. Elles occupent en effet des territoires stratégiques, le long de frontières poreuses et faiblement peuplées.

> **Le groupe ethnique majoritaire en Chine se désigne comme « peuple Han », du nom de la dynastie qui fit régner un des âges d'or de l'histoire chinoise (– 206 à 220) et vit se développer l'influence du confucianisme.**

Le système politique

Techniquement, le Parti communiste n'est pas un parti unique puisqu'il existe sept « partis démocratiques » censés jouer auprès de lui un rôle consultatif, mais il reste le seul maître du pays. Fondé le 1er juillet 1921, il compte actuellement 58 millions de membres appartenant à 3,3 millions de sections locales. S'il n'est plus nécessaire d'en faire partie pour obtenir un emploi intéressant, cela reste indispensable pour une carrière politique. Le Premier ministre dirige la plus haute instance exécutive, le Conseil des affaires de l'État, qui contrôle une multitude de ministères, d'agences, de commissions, de gouvernements provinciaux et de sociétés. La Commission nationale du développement et de la réforme coordonne la politique économique.

La Chine ne connaît pas d'élections démocratiques à proprement parler (l'élection présidentielle de mars 2008 relevait du suffrage indirect avec un candidat unique...) et conserve une société bureaucratique où n'ont pas cours les libertés et la rapidité de prise de décisions considérées comme normales dans les pays d'Europe de l'Ouest et aux États-Unis. Mais, comparée à la période qui s'est étendue jusqu'à la fin des années 1990, où les interférences de l'État minaient toute tentative de faire des affaires, ou simplement toute initiative personnelle, la dernière décennie s'est révélée une époque bénie pour l'entrepreneur audacieux.

Les lignes politiques suivies sont devenues plus claires, la lutte contre la corruption a fait quelques progrès, plusieurs niveaux administratifs inutiles ont été supprimés, et les premiers pas vers un État de droit ont été accomplis. C'est l'évolution la plus importante. Pour la première fois, un simple citoyen peut traîner au tribunal un fonctionnaire corrompu, du moins en théorie car cela reste très difficile et risqué dans la pratique. Les sociétés étrangères ont aussi acquis un minimum de protection juridique grâce à une législation commerciale qui gagne en sophistication. Des organismes privés chinois ont maintenant accès à des monnaies étrangères et n'ont plus besoin d'autorisation pour fabriquer ou commercialiser un produit, rencontrer des partenaires étrangers ou organiser un déplacement hors du pays. Comme dans la plupart des nations en voie de développement passant d'une économie planifiée à une économie de marché, la fermeture d'entreprises d'État a provoqué du chômage, un appauvrissement temporaire et des troubles sociaux. L'activité créée par des entrepreneurs privés tournés vers l'exportation a toutefois largement compensé ces problèmes, du moins jusqu'au début de la récession mondiale de 2008.

L'entrée de la Chine dans l'Organisation mondiale du commerce, en 2001, a eu de lourdes conséquences auxquelles le pays n'a consenti qu'après de longues négociations. La Chine a dû s'engager à la transparence des processus légaux, à ne pas exercer de discriminations envers les entreprises étrangères, à réduire ses tarifs douaniers, à

se plier à des mesures de sécurité et d'inspection internationales et à engager la lutte contre la contrefaçon. Des
voix se sont élevées dans le pays pour récuser ce prix trop
élevé, mais le respect des règles de l'OMC devrait à long
terme renforcer la primauté du droit et contribuer à la
stabilité et à la prospérité des Chinois.

Les questions qui fâchent

Certains sujets restent tabous dans les rapports de tous les
jours, par exemple les trois « T » : Tibet, Taïwan et Tian'an
men. Les Chinois apprécient rarement de critiquer leur
pays lors de premiers contacts avec des étrangers, ce en
quoi ils ne diffèrent pas des autres peuples. Mais une fois
la confiance établie, ils s'ouvrent. C'est particulièrement
vrai pour les jeunes Chinois qui ont fait des études et parlent au moins une langue étrangère, en général l'anglais.
Le système éducatif s'efforce d'encourager la créativité
plutôt que d'imposer un apprentissage par cœur, et ils se
montrent extrêmement bien informés et ouverts au débat.

Les médias

Les moyens d'information restent sous le contrôle de
l'État, mais ce constat ne doit pas faire oublier que ces
dernières décennies ont été marquées par une incroyable
augmentation du nombre de quotidiens et magazines,
ainsi que des chaînes de télévision et des stations de
radio indépendantes. Les ondes diffusent aussi de très

nombreux programmes étrangers. Le secteur devient plus commercial et plus concurrentiel : les estimations évaluent à 128 millions le nombre d'abonnés à des bouquets payants. Mais la formule d'un correspondant de la BBC, « l'ouverture de l'industrie des médias s'est étendue à la distribution et la publicité, pas au contenu éditorial », n'en demeure pas moins vraie.

BBC News en donna un exemple manifeste en janvier 2009, avec la couverture chinoise du discours d'investiture du président Obama. Une version en anglais de l'allocution sur le site Internet de l'agence de presse nationale Xinhua incluait ce passage retranscrit en entier : « Rappelez-vous que les précédentes générations ont fait face au fascisme et au communisme pas seulement avec des missiles et des chars, mais avec des alliances solides et des convictions durables. » Dans la traduction en chinois, le mot « communisme » n'apparaissait plus, de même que les avertissements aux dirigeants du monde qui cherchent à « faire reposer la faute des maux de leur société sur l'Occident » ou « s'accrochent au pouvoir par la corruption et la fraude, et en bâillonnant les opinions dissidentes ». CCTV, la principale chaîne nationale, diffusa le discours en direct. Quand l'interprète arriva au passage concernant le communisme, sa voix s'éteignit brusquement et la régie interrompit la transmission pour revenir au plateau, prenant le présentateur au dépourvu.

Les journalistes et professionnels des médias sans rapport avec le pouvoir ont conscience de la stupidité qu'il y a à traiter ainsi les Chinois comme des enfants. Mais ils n'ont pas d'autre choix que de s'en accommoder… Pour le moment. C'est la raison pour laquelle, par sécurité, les journaux télévisés d'information sont en général enregistrés. Il arrive encore que des jours (ou semaines) s'écoulent avant qu'ils n'évoquent des catastrophes naturelles ou industrielles qui se sont produites en Chine, tout en annonçant sans délai les mêmes drames lorsqu'ils touchent des pays étrangers, sans hésiter à reprendre des reportages non censurés provenant de ces pays. Et lorsqu'enfin ils en parlent, ils ont plus tendance à se concentrer sur les efforts héroïques fournis par l'Armée populaire de libération pour sauver les victimes de l'inondation qu'à vérifier si celle-ci n'a pas pour origine la négligence de fonctionnaires locaux ou une dégradation de l'environnement.

Plus récemment, en octobre 2010, l'attribution du prix Nobel de la paix au dissident chinois Liu Xiaobo, s'est traduite par le silence des médias, à l'exception de quelques articles citant la condamnation de cette « obscénité » par le ministre chinois des Affaires étrangères.

L'énorme augmentation du nombre de chaînes de télévision ne s'est pas accompagnée d'une amélioration équivalente de la qualité des programmes. Le visiteur qui s'amuse avec sa télécommande dans sa chambre d'hôtel ne manquera ni d'émissions de variétés, ni de jeux, ni de comédies sentimentales bien plus sexy qu'il n'aurait été concevable il y a seulement quelques années. Ce qu'il n'a aucune chance de voir, en revanche, ce sont des reportages d'investigation, et encore moins des personnalités politiques mises sur la sellette.

Les journaux et la télévision ont beau dénoncer régulièrement la corruption de fonctionnaires ou de membres du Parti communiste, ils ne prennent pas le risque de soutenir des citoyens en conflit avec l'État. Quand des journalistes courageux s'efforcent de révéler dans des médias locaux des scandales qu'aucun chef de rédaction occidental ne laisserait passer, comme l'enlèvement d'enfants condamnés à travailler comme des esclaves dans une briqueterie, ou l'effondrement d'un pont construit avec du béton défectueux, ils se heurtent le plus souvent à un réseau de notables impliqués dans les malversations qu'ils essaient d'étaler au grand jour. Pour que l'État intervienne, il faut que l'affaire soit suffisamment grave pour avoir un retentissement à l'étranger, comme dans le cas du lait maternisé contaminé à la mélamine en 2008.

Une démocratie balbutiante

Les volontés de réforme se heurtent à l'immensité d'un pays dont la majorité de la population habite encore des zones rurales sous-équipées. Dans ces campagnes reculées, les paysans pauvres souffrent trop souvent des abus de pouvoir commis en toute impunité par des responsables locaux. Pour d'innombrables citoyens, la révolte devient le seul recours. Selon les statistiques officielles, 87 000 « incidents collectif » se sont produits en 2005. Rien qu'au premier trimestre 2009, il y en aurait eu 56 000 ! Les visiteurs de la Cité interdite à Pékin voient souvent à l'extérieur des attroupements sans rapport avec des groupes de touristes attendant d'entrer. Ces manifestants comptent parmi les provinciaux qui se rendent à la capitale, par centaines de milliers tous les ans, pour demander réparation aux autorités de torts comme l'accaparement de leurs terres par des promoteurs sans scrupule. La modernisation de l'économie ne s'est pas accompagnée d'une évolution similaire sur le plan politique. La démocratie reste un rêve lointain nourri seulement par quelques dissidents. Le Parti communiste ne laisse aucun espace aux opposants et n'hésite pas à les envoyer en camp de travail. La torture demeure courante et une répression féroce s'abat sur toute forme de protestation structurée, qu'elle soit l'œuvre d'une secte religieuse comme Falungong ou de minorités ethniques comme les Tibétains et les Ouighours.

Malgré ces restrictions, des progrès ont été accomplis dans le domaine des libertés individuelles. Le gouvernement a assoupli les restrictions de circulation à l'intérieur des frontières et les conditions d'obtention d'un passeport. De plus en plus de Chinois se rendent à l'étranger. Ils sont encore plus nombreux à avoir des opportunités de rencontrer des visiteurs venus d'autres pays. Ces derniers étaient 55,9 millions en 2010, soit 10 % de plus qu'en 2009. Ces contacts ont eu un impact considérable, au moins sur l'élite urbaine. Internet l'a renforcé. Aucune autre nation ne compte autant d'utilisateurs. Aucune, non plus, n'exerce sans doute un contrôle aussi strict sur les sites Internet. Si l'envie vous prend de voir un moteur de recherche en déroute, essayez de taper des mots comme « liberté » ou « secte Falungong » sur un ordinateur chinois.

Livres et périodiques

À la fin des années 1960, pendant que la jeunesse occidentale rêvait d'amour libre et de plage sous les pavés, les meutes de gardes rouges lancées par Mao envahissaient les domiciles privés, les écoles et les universités pour y brûler des milliers de livres et de rouleaux. La Révolution culturelle se voulait en rupture avec une tradition millénaire qui accordait une importance primordiale à l'érudition. Aujourd'hui, la censure sévit encore dans ce domaine. Des ouvrages comme *Mao : l'histoire inconnue*, biographie très critique écrite par Jung Chang, sont interdits à la vente. Il suffit toutefois de se rendre dans la grande librairie de Wangfujing, la principale rue commerçante de la capitale, pour se rendre compte du vaste choix offert aux lecteurs de tous âges qui se pressent sur ses cinq niveaux.

Le centre culturel français de Pékin possède aussi une riche médiathèque. Organes du gouvernement, le quotidien anglophone *China Daily* ou la version française en ligne du *Quotidien du peuple* manquent de relief. Des publications indépendantes comme *Time Out*, qui s'adresse à un lectorat d'expatriés et de jeunes urbains, sont d'un intérêt plus immédiat et plus concret pour le visiteur étranger.

L'environnement

Voici un autre domaine où la Chine ne se montre pas avare de paradoxes. Commençons par la mauvaise nouvelle : la nature y est grandement menacée. La bonne maintenant : le gouvernement reconnaît au moins que de graves problèmes se posent et autorise des organismes indépendants, comme la Banque mondiale, à surveiller la situation. Selon cette dernière, le pays abrite seize des vingt villes les plus polluées du monde et contribue à la pollution atmosphérique du Japon et de la Corée. Lors du sommet de Copenhague en 2010, la Chine a accepté de limiter ses émissions de gaz à effet de serre et promis de réduire son utilisation de combustibles fossiles. Mais son expansion économique l'a conduite au sommet de la liste des plus gros émetteurs de CO_2, dépassant même les États-Unis. Surtout pendant les mois d'hiver, il est difficile d'échapper aux conséquences de la combustion de millions de tonnes de charbon riche en soufre. Si vous voulez aller voir les bouddhas géants sculptés il y a quelque 1 500 ans dans les grottes de Yungang, il faudra vous rendre à Datong, à huit heures de train de Pékin. Vous y découvrirez alors à quoi ressemble la vie dans une ville dominée par le charbon. La suie flotte dans l'air, se dépose sur les visages et souille le linge qui sèche. Les progrès de la technologie permettront peut-être un jour d'éviter de telles conséquences écologiques mais cela prendra du temps.

Les autorités s'inquiètent aussi de la quantité et de la qualité des réserves d'eau douce. L'alimentation des grandes villes du Nord, et notamment de la capitale, pose des problèmes toujours plus épineux. Entre autres, la baisse des nappes phréatiques entraîne un affaissement du sol. De grands travaux sont en cours pour dévier une partie des eaux du Yangzi vers les régions aux besoins les plus criants. Dans le Sud, les constructions en zone inondable aggravent les conséquences des crues.

L'absence de contrôle de la chasse et la destruction des habitats naturels ont mis de nombreuses espèces en danger d'extinction. Les efforts entrepris pour sauver le panda géant semblent l'avoir tiré d'affaire, mais il doit son salut pour une grande part à son statut de symbole national. Beaucoup d'autres animaux sauvages restent uniquement considérés comme une ressource alimentaire ou même, pour les moins chanceux, comme de précieux auxiliaires de la médecine traditionnelle. La poudre

Vers une prise de conscience

Le développement économique de la Chine s'est accompagné d'une hausse vertigineuse de la pollution. Selon les statistiques officielles chinoises, 2,2 millions de personnes succombent chaque année à la pollution de l'air dans les habitations. Autre vaste chantier auquel s'attaque le gouvernement, la pollution de l'eau dans les campagnes qui est largement due aux rejets industriels ou agricoles, alors que la majorité des villages ne possèdent pas d'équipement pour retraiter les eaux et les déchets.

Le plan de relance engagé pour faire face aux conséquences de la crise financière mondiale de 2008 consacre 8 % de son budget (soit 35 milliards d'euros) à la protection de l'environnement, tandis que les objectifs désormais affichés visent davantage une croissance de qualité plutôt qu'un accroissement systématique du PIB. Preuve que la Chine prend désormais au sérieux les risques écologiques liés à son développement.

d'os de tigre compte ainsi parmi les ingrédients supposés entretenir la virilité. Sur les marchés du Sud, des animaux appartenant à des espèces menacées, comme le pangolin et le chevrotain porte-musc, sont toujours vendus vivants, une garantie de fraîcheur dans une contrée où les réfrigérateurs restent rares. Le spectacle de ces malheureuses créatures enfermées dans des cages exiguës heurtera plus d'une sensibilité occidentale.

Même si nombre d'espèces protégées continuent d'être chassées en Chine, l'évolution de la législation permet au moins aux défenseurs de la nature d'avoir la loi pour eux dans leur lutte contre le braconnage. La chaîne nationale CCTV s'est aussi mise à diffuser des émissions sur l'environnement. Ces dernières s'efforcent de présenter honnêtement les problèmes à une population à qui on a vanté pendant des décennies les bénéfices de l'industrialisation et de l'urbanisation sans qu'en soient jamais mentionnés les coûts.

Hong Kong, Taïwan et Macao

Pendant de nombreuses années, le nom de l'île de Hong Kong était suivi de la formule « oc. GB » sur les cartes en anglais imprimées en Chine. Elle signifiait « occupée par la Grande-Bretagne ». Restitué en 1997, ce territoire est devenu l'une des deux « régions administratives spéciales » (RAS) bénéficiant d'un régime particulier et plus démocratique au sein de la République populaire. Rétrocédée par les Portugais en 1999, Macao est la deuxième de ces RAS. Gouvernée par la République de Chine depuis 1950, l'île de Taïwan défend âprement son indépendance face à la RPC qui la revendique comme sa 23ᵉ province. La question est un sujet récurrent de tension avec les États-Unis, qui se sont engagés à apporter leur soutien à cet allié historique dans le Pacifique, notamment par des ventes d'armes. Les rapports entre l'île et le continent se sont toutefois détendus au cours des dernières années et des liaisons aériennes directes facilitent des échanges commerciaux de plus en plus nombreux.

Taïwan

L'île où Chiang Kai-shek se réfugia avec quelque 2 millions de partisans après sa défaite devant Mao Zedong en 1949 reste politiquement dominée par ces « continentaux » et leurs descendants, alors qu'ils représentent seulement 11 % de la population. Dans leur majorité, les Taïwanais sont en effet issus de migrations han plus anciennes. Il existe aussi une minorité aborigène qui parle une langue appartenant à la famille austronésienne et partage des affinités culturelles avec l'Asie du Sud-Est maritime. Les habitants de l'île ont coutume de se subdiviser eux-mêmes en quatre groupes : les « Taïwanais » *(tai wan sheng)*, les « continentaux » *(wai sheng jen)*, les « aborigènes » *(shan ti jen)* et les « Hakka » *(k'o chia jen)*, un sous-groupe des Han. Cette classification ne dresse toutefois qu'un tableau rudimentaire de la complexité culturelle du pays. L'essor économique a profité à tous et le niveau de vie est équivalent à celui du Japon.

Dans ses relations internationales, Taïwan fonctionne selon un mode ambigu. Elle n'est pas reconnue comme une nation indépendante, mais la plupart des États entretiennent avec elle des relations diplomatiques officieuses.

Hong Kong

L'ancienne colonie britannique a peu changé depuis sa rétrocession. Elle a conservé son énergie, son ouverture d'esprit et le rôle de plaque tournante qui ont fondé son succès économique. Le cantonais y reste la langue la plus parlée et les médias jouissent d'une liberté inconnue sur le continent. Les vedettes de variétés, les modes et les « choix de vie » en vogue à Hong Kong exercent sur le reste de la Chine – et en particulier le Sud, où dominent les locuteurs cantonais – un attrait qui ne se dément pas. Jusqu'en 1997, les policiers britanniques s'efforçaient tous les jours de barrer le passage aux immigrants illégaux qui tentaient de franchir les barbelés de la frontière ou de les contourner par la mer. La situation n'a pas changé, si ce n'est que ce sont désormais des Chinois qui ont pour tâche d'empêcher ces compatriotes miséreux de tenter leur chance dans cet eldorado capitaliste.

Macao

Colonie portugaise du XVIe siècle à 1999, Macao n'a pas connu, au XXe siècle, le développement économique de Hong Kong et a pu ainsi conserver un charmant centre ancien, à l'architecture métissée. L'Unesco a inscrit ce site au patrimoine de l'humanité en 2005.

L'île a acquis sa réputation d'« enfer du jeu » à l'époque où les Chinois de Hong Kong prenaient le bateau par milliers pour venir s'y adonner aux jeux d'argent, interdits par les autorités britanniques. Cette activité est restée longtemps un monopole. Sa libéralisation partielle à partir de 2001 a entraîné la construction d'immenses casinos et autres complexes touristiques. Les recettes dépassent aujourd'hui celles de Las Vegas.

La diaspora chinoise

La civilisation chinoise a eu une influence majeure sur les pays les plus proches, notamment le Vietnam et la Corée, que l'empire envahit, et, dans une moindre mesure, le Japon. Dans d'autres contrées d'Asie du Sud-Est, elle s'est diffusée par l'intermédiaire de populations de migrants poussés à l'exil par les invasions, les guerres civiles et la misère. Ces populations peuvent être divisées en deux groupes. Le premier est formé des descendants d'immigrés d'avant le XIXᵉ siècle, comme les « Chinois des Détroits » dont les ancêtres s'installèrent dans les colonies britanniques de Malacca, Penang et Singapour. Ils se sont souvent fondus dans les communautés d'accueil. Les migrants plus récents venaient du Sud de la Chine et étaient en majorité des Cantonais, Teochew, Hakka et des Hokkien. Ils partaient le plus souvent travailler comme « coolies » (de *ku li*, « force amère ») dans les plantations des colonies britanniques, françaises et hollandaises.

En Amérique du Nord, les ruées vers l'or des années 1850, puis la construction des lignes de chemin de fer transcontinentales, attirèrent en grand nombre les candidats chinois à l'aventure. Il s'agissait presque exclusivement de Cantonais. Plus récente, l'implantation en Europe n'a jamais connu la même ampleur.

Ces Chinois d'outre-mer se sont en général efforcés d'envoyer de l'argent aux membres de leur famille restés au pays. Parmi les plus riches, nombreux sont ceux qui ont investi dans l'industrie ou financé des universités depuis la libéralisation économique. L'attitude des Chinois envers ces cousins expatriés se réduit souvent à un cocktail désagréable de ressentiment et d'admiration inavouée. Il est parfois encore plus difficile pour eux de se faire accepter de leurs compatriotes que pour des étrangers.

Les valeurs de la société

Les grands courants de pensée

La Chine s'est construite en privilégiant l'ordre plutôt que la justice, et cette priorité reste d'actualité. Quatre principaux courants intellectuels ont influencé l'évolution de la civilisation des Han (l'ethnie dominante) au cours des trois derniers millénaires : le confucianisme, le légisme (parfois aussi appelé « légalisme »), le taoïsme et le maoïsme, inspiré du marxisme.

Le confucianisme

Le système élaboré par Confucius au VIᵉ siècle av. J.-C. accorde la prééminence à la vertu personnelle, la promotion par l'étude, la dévotion à la famille et la justice. Si Mao Zedong a élevé le « peuple », ou l'État, au-dessus de la famille, le Parti communiste invoque à nouveau ces principes fondamentalement conservateurs comme une voie vers une nation unie et plus civilisée. Les Chinois d'aujourd'hui voient du bon et du mauvais dans le confucianisme. Pour ses défenseurs, au cours des longs siècles où il a représenté l'esprit chinois et sa culture, il a aidé la nation à survivre à de nombreuses épreuves. Ils considèrent aussi ses enseignements compatibles avec le besoin, dans les échanges humains, de courtoisie, d'équité, d'honnêteté et d'honneur. Pour ses détracteurs, il a été le principal rempart de la monarchie et du féodalisme et a donc perdu toute pertinence.

Le légisme

Les légistes eurent leur moment de gloire quand Qin Shi Huangdi rendit son unité au pays, vers 220 av. J.-C. Comparés aux confucianistes, ils avaient une opinion moins charitable de la nature humaine et de la capacité des individus à établir d'eux-mêmes un ordre social. Pour eux, l'homme était par essence immoral, et seule la pleine force de la loi appliquée avec une rigueur inflexible pouvait lui permettre de dépasser ses instincts.

Le taoïsme

La philosophie irrévérencieuse et contemplative dont Lao Tseu (né vers – 570) aurait énoncé les principes dans le *Dao De Jing* rejette à la fois l'idéalisme moral du confucianisme et les règles du légisme comme des produits de l'appareil social menant à l'hypocrisie ou à l'exploitation d'autrui. Pour les taoïstes, la justice découle d'une vie en harmonie avec le monde naturel qui nous entoure.

Le maoïsme

Les écrits de Karl Marx, qui ont eu une influence majeure sur les révolutionnaires des XIXe et XXe siècles, se fondent sur le rationalisme du siècle des Lumières et la morale de la tradition religieuse judéo-chrétienne. Ces bases ont aussi inspiré la pensée du leader républicain Sun Yat-sen. Ses « trois principes du peuple » – nationalisme, démocratie et bien-être du peuple – lui valent d'être célébré en Chine comme un révolutionnaire précurseur du communisme. Il n'adhéra toutefois jamais à cette idéologie, qui décrit les rapports sociaux comme une lutte des classes entre les prolétaires – ouvriers et paysans dépendant de leur force de travail – et les capitalistes – propriétaires censés les exploiter. L'idéologie marxiste devait cependant offrir un support à d'autres idéalistes ou ambitieux désireux de renverser l'ordre établi.

Le Parti communiste chinois commença par rester sur une ligne proche de celle de son « grand frère » soviétique, arrivé au pouvoir en Russie en 1917. Mais la pensée de Mao Zedong s'en écarte à partir de 1949. Ce chef charismatique pousse ses compatriotes à s'identifier aux paysans et aux membres les plus pauvres de la société. Les signes de richesse deviennent honteux. Les individus renoncent aux parures comme les bijoux et dépouillent les murs de leurs décorations. Ils vont jusqu'à cacher sous de vieux vêtements leur pantalon ou leur veste neuve. Le symbole du « bol de riz en fer » résume l'objectif que se fixe l'État : accorder à chacun un emploi sûr, même s'il n'assure qu'un minimum vital.

Si les dirigeants respectent au début les règles induites par leur doctrine, ces sacrifices n'ont qu'un temps. Dès les années 1960, abrités derrière leurs hauts murs, les

La patience est une vertu

En République populaire chinoise, une lourde bureaucratie complique des procédures qui devraient être des plus simples, comme acheter des billets d'avion ou changer de l'argent dans une banque. Apprendre à supporter ces désagréments avec patience facilite grandement les rapports. Les Chinois considèrent l'impatience comme un défaut grave. Respecter un horaire serré se révèle souvent impossible dans leur pays, même si cela devient plus facile depuis que des sociétés privées entrent en concurrence avec les instances d'État, au fonctionnement apathique.

nouveaux empereurs communistes se mettent à jouir des plaisirs de la vie qu'ils interdisent au commun des mortels. Selon l'actuel verdict officiel, l'œuvre de Mao Zedong fut à 70 % positive et pour 30 % néfaste. La Révolution culturelle est présentée comme une « erreur ». Le portrait du « Grand Timonier » n'en reste pas moins suspendu au-dessus de l'entrée de la Cité interdite et son corps embaumé (qu'aurait remplacé un mannequin en cire, selon la rumeur) occupe un immense tombeau sur la place Tian'an men. Certains de ses enseignements font toujours partie des programmes scolaires, et nul n'oserait remettre en question son rôle dans la lutte contre les envahisseurs japonais et l'armée du Guomindang de Chiang Kai-shek. Et il serait jugé discourtois pour un étranger de le critiquer, même si le slogan lancé par Deng Xiaoping, « Enrichissez-vous », à l'opposé des préceptes du maoïsme, a ouvert la voie à l'« économie socialiste de marché » inscrite dans la Constitution de 1993. Alors que le vernis du communisme se craquelle tous les jours davantage, c'est donc au regard d'une très longue histoire qu'il convient d'essayer de comprendre l'état d'esprit des Chinois. La patience est une vertu qu'ils cultivent depuis des temps immémoriaux, et ils ont eu à subir plus de tyrannie, d'anarchie et de mauvais gouvernants qu'aucun peuple occidental. Il en faut vraiment beaucoup pour les pousser à la violence physique, même si les échanges de cris presque rituels qui soulagent les tensions dans les rues bondées pourraient laisser penser autrement.

Le yin et le yang

Depuis près de trois mille ans, la cosmologie chinoise perçoit l'univers comme empli d'un souffle cosmique ou énergie vitale, le *qi*, qui se manifeste sous la forme des forces antagonistes et complémen-taires du *yin* et du *yang*. Leur symbole bien connu les montre enlacées, des points de couleurs inverses rappelant que l'un n'existe que grâce à l'autre. En effet, bien que le *yin* et le *yang* représentent des pôles opposés, cha-cun produit son contraire en atteignant son extrême en un cycle sans fin qui régit le plan métaphysique aussi bien que le monde physique où, par exemple, alternent le jour et la nuit ou le flux et le reflux. Au *yin* correspondent la Terre, la Lune, la féminité, la douceur, le froid et l'obscurité, tandis que le *yang* est associé au Ciel, au Soleil, à la masculinité, à la force, à la chaleur et la lumière. Le dragon était l'incarnation du *yang* et, dans le langage courant, le soleil reste appelé *tai yang* (« grand *yang* »). Cette vision d'une circulation universelle d'énergie sous-tend non seulement les conceptions philosophiques et religieuses chinoises, mais imprègne aussi des domaines tels que la médecine ou la divination, comme ne peut l'ignorer quiconque s'est initié à l'utilisation du *Yi Jing* ou *Livre des changements*.

Le feng shui

La géomancie chinoise, ou *feng shui*, connaît aujourd'hui une vogue grandissante en Occident, mais elle perd de sa popularité en Chine, sauf dans le Sud et à Hong Kong. Son nom signifie « vent et eau », et elle repose sur le principe que l'environnement naturel influe sur la circulation du *qi*, pouvant donc affecter les usagers d'un bâtiment. Collines, champs et plans d'eau doivent être pris en compte lors de la construction d'un tombeau, d'un temple, d'un logis et, plus particulièrement de nos jours, d'un lieu de travail. La complexité des calculs et des connaissances ésotériques nécessaires pour choisir un site, une disposition et un aménagement propices imposent aux familles et aux sociétés d'engager un expert, souvent à grands frais, et de le consulter avant toute décision.

Alors qu'en Occident les objections à une nouvelle construction reposent en général sur des considérations écologiques, esthétiques ou historiques, dans des villages du Sud de la Chine c'est pour son impact sur le *feng shui* local qu'un projet de bâtiment risque de rencontrer des oppositions.

Le pragmatisme chinois

Les Chinois sont avant tout pragmatiques et leurs aspirations diffèrent peu des nôtres : donner à leurs enfants une bonne éducation, les aider à obtenir un emploi valorisant, les faire accéder à un niveau de culture supérieur et pouvoir se détendre un peu et profiter de la vie. Aussi longtemps que le Parti communiste leur fournira les moyens de tendre vers ces buts il restera probablement au pouvoir. Certains commentateurs estiment cependant qu'une fois atteint un certain niveau d'aisance, ils réclameront davantage de liberté.

Les jeunes citadins ressemblent beaucoup à leurs homologues du reste du monde. Hédonistes, ils travaillent beaucoup, ont pour un grande partie d'entre eux un pouvoir d'achat important, aiment s'amuser et ne se montrent pas trop intéressés par le passé sanglant de leur pays. Les paysans aussi ont de l'ambition et certains se sont enrichis.

Toutefois, des millions de travailleurs migrants forment un nouveau sous-prolétariat. Demeurant loin de

La crise de 2008 a provoqué un retour massif de travailleurs migrants dans leur région d'origine. Comme ce sont eux qui, le plus souvent, font vivre leur famille, le gouvernement chinois a décidé d'élever le salaire moyen annuel dans les provinces rurales pour limiter la précarité économique.

leur famille des mois d'affilée, ils passent d'un emploi mal payé, précaire et souvent dangereux à un autre. C'est à leur labeur que la Chine doit sa nouvelle prospérité. Le gouvernement en a conscience et redoute les troubles qui pourraient se produire si ces masses exploitées s'organisaient. Il s'efforce donc d'améliorer leur sort avec des plans de formation, des aides à la réinstallation et des formes d'assistance aux sans-emploi. Ces migrants viennent en outre, pour la plupart, de familles paysannes qui peuvent leur offrir un point de chute en cas de besoin.

Citoyens du pays du Milieu

La conscience qu'ont les Chinois de leur spécificité n'a rien perdu de sa force et leur culture millénaire, tout comme la rapidité de leurs progrès économiques, leur inspirent une fierté justifiée. Mais l'arrogance d'antan a disparu, remplacée par un sentiment d'excitation face aux possibilités offertes par le nouvel ordre mondial. Néanmoins, le nationalisme sous-jacent peut à tout moment reprendre une forme xénophobe éveillant les échos de périodes moins ouvertes.

Le physique « bizarre » des Européens a abondamment fait parler les peuples de la zone Asie-Pacifique. Les Chinois les ont décrits comme des « spectres ». Il y a seulement dix ans, les mots *yang guize* (« diables étrangers ») parvenaient encore fréquemment aux oreilles des visiteurs. Ils signifient aussi « fantômes étrangers », formule qui fait autant référence à la pâleur et la pilosité incongrue des Occidentaux qu'à leur supposée scélératesse. À Hong Kong, les expatriés occidentaux avaient tellement pris l'habitude d'être appelés *gweilos*, « diables étrangers » en cantonais, qu'ils ont fini par adopter ce nom pour désigner leur communauté. Dans leurs rapports avec un Occidental, les Chinois tiendront compte du fait que ce dernier n'a pas la même culture qu'eux. Mais les visiteurs étrangers n'en ont pas moins intérêt à observer leur comportement selon les situations sociales et professionnelles pour adapter le leur aux circonstances.

Dans toute l'Asie du Sud-Est, les Occidentaux sont réputés éduqués et riches tant que leur tenue ne les fait pas entrer dans la catégorie des « hippies », un terme péjoratif. L'honnêteté et la ponctualité comptent aussi parmi les qualités qui leur sont attribuées. On leur prête également un certain manque de chaleur et une tendance à se montrer distants. Ils ont la réputation d'avoir une morale sexuelle relâchée et de manquer du sens de la famille : des rumeurs circulent sur les difficultés rencontrées par les personnes âgées dans les sociétés occidentales.

Nombreux sont les habitants des campagnes à n'avoir jamais rencontré un « véritable » étranger, même s'ils en ont probablement vu à la télévision. Les personnes d'origine africaine font l'objet d'une curiosité particulière. Dans les années 1990, des étudiants de l'université de Tianjin, pourtant la cinquième agglomération du pays, racontaient comment des paysans les avaient accostés dans la rue pour frotter la peau de leurs bras et leur demander pourquoi ils ne se lavaient pas. Dans des zones reculées, il arrive que des étrangers n'arrivent pas à se faire comprendre, alors même qu'ils parlent chinois, à cause de l'étrangeté de leur visage selon les critères locaux !

Cependant, il y a désormais tant d'étrangers dans les villes qu'ils sont parfois presque ignorés. Mais dans les campagnes reculées, ou lors de trajets en avion ou en train, ils continuent de susciter courtoisie et fascination. Un Chinois qui lie connaissance avec un voyageur étranger a tendance à se sentir personnellement responsable de la sécurité et du bien-être de son interlocuteur.

Les Chinois d'outre-mer

Le cuisinier Ken Hom, auteur de nombreux livres de recettes, a décrit un sentiment familier aux millions de membres de la diaspora chinoise, un étrange mal du pays éprouvé pour un lieu où l'on n'est jamais allé. Il écrit : « Vous pouvez rentrer à la maison. Mais la maison, c'est quoi ? Où est-elle ? Pour un Sino-Américain, ou n'importe quel "Chinois d'outre-mer", toute réponse met en œuvre des ambiguïtés émotionnelles. L'expérience chinoise hors de la Chine crée ce qui a été appelé une mentalité de "séjourneur". Aussi brillante que puisse être la réussite économique de l'immigré, l'appel de la mère patrie reste puissant. »

S'il revient en Chine, un visiteur d'origine chinoise né ou ayant grandi en Europe ou aux États-Unis, risque d'être confronté à des attentes élevées. Il est supposé apporter des cadeaux coûteux, parfois pour la totalité d'une famille étendue (il n'est pas rare qu'il s'agisse de tout un village…), tout en faisant preuve de l'humilité adéquate devant les accomplissements de la Chine. Se retrouver dans cette position contradictoire peut engendrer des difficultés et un ressentiment réciproque, pour ne rien dire de l'incrédulité suscitée par la découverte que le parent d'outre-mer ne sait pas parler le mandarin.

Perdre la face

Les Chinois vivent comme une humiliation le fait de se retrouver dans une position qui révèle leur part d'impuissance ou leur ignorance. S'ils ne peuvent pas ou ne veulent pas répondre à une question embarrassante, le rire est pour eux un moyen de masquer leur gêne. Cette réaction peut signifier que le visiteur a dit quelque chose qui n'a pas été compris ou que son interlocuteur manque d'assurance sur le sujet abordé.

Pour un étranger, le meilleur moyen de perdre la face consiste à manifester de la colère ou de la contrariété. La formule « *It's not convenient* » (« Ce n'est pas le moment ») est souvent, pour un Chinois, une façon polie d'indiquer qu'une difficulté ou une impossibilité se présente et qu'il préférerait ne pas avoir à expliquer tout de suite les subtilités de la situation. Face à une porte apparemment fermée, exercer une légère pression a une chance de marcher, mais essayer de forcer l'ouverture à coups de pied n'en a aucune. Vous pouvez insister, mais pas au-delà d'une certaine mesure. En revanche, il n'y a rien de grossier à reparler d'un problème après avoir laissé à son interlocuteur le temps de prendre d'autres avis. Il éprouvera de la fierté à revenir de lui-même sur une question qu'il a mise au clair.

Contact entre les hommes et les femmes

En tant que visiteur étranger, il est peu probable que vous ayez d'autres contacts physiques que la poignée de mains avec une personne du sexe opposé. Les personnes de même sexe ont toutefois tendance à se toucher davantage qu'en Occident. Dans leurs discussions, les femmes mettent volontiers l'accent sur un point particulier en se tapotant le bras. En dehors des grands centres urbains, on croise fréquemment des jeunes de même sexe se donnant la main dans la rue. Dans la société chinoise, il ne s'agit de rien d'autre que de marques d'amitié. Il en fut d'ailleurs longtemps ainsi dans les pays catholiques du Sud de l'Europe.

L'homosexualité reste un sujet tabou en Chine, où gays et lesbiennes doivent se montrer discrets. Un comportement ouvertement efféminé ou une tenue vestimentaire tapageuse ont toutes les chances d'attirer une attention pénible hors des grandes villes comme Shanghai ou Pékin.

La situation de la femme

La campagne menée par les communistes pour l'égalité des sexes a mené à de réels progrès pour les femmes, même s'ils furent lents. Le pouvoir est notamment parvenu à mettre un terme à la coutume de bander – et donc d'atrophier – les pieds des petites filles pour les empêcher de devenir « gros et laids ». Une première tentative pour l'interdire avait échoué en 1912. Un autre véritable « grand bond en avant » a consisté à rendre disponibles des moyens de contraception et des centres de garde d'enfant. L'adage popularisé par Mao, « les femmes soutiennent la moitié du ciel », est en train de devenir une réalité dans les villes, où toute une génération de jeunes femmes éduquées prend sa place dans le monde du commerce, de la science, de la médecine et des médias. Une étrangère qui voyage en Chine ne s'y trouvera pas confrontée à plus de problèmes que chez elle. Dans le cadre du travail, elle sera acceptée sur un pied d'égalité.

L'univers clos de la politique reste toutefois presque exclusivement masculin. Et la situation dans les campagnes évolue beaucoup plus lentement. Un autre point noir subsiste : la préférence pour les bébés de sexe mâle. La politique de l'enfant unique a même aggravé le phénomène. Traditionnellement, c'est en effet le garçon qui transmet le nom et le patrimoine de la famille et qui s'occupe de ses parents quand ils sont âgés. Si la pratique de l'infanticide a régressé, les avortements sélectifs après échographie entraînent un tel déséquilibre des naissances que les projections officielles prévoient pour 2020 un déficit de 40 millions de femmes en âge de se marier.

Le mythe du Chinois impénétrable

Dans leur description de la Chine, les auteurs occidentaux de jadis insistaient souvent sur la répugnance de ses habitants à se montrer directs dans les échanges et sur leur recours presque systématique à des approches tortueuses. En fait, vous découvrirez sans doute au gré de vos rencontres que les Chinois se montrent aisément plus directs que beaucoup d'Occidentaux, tout en ne cédant rien de leur courtoisie. Quand ils vous connaissent et vous font confiance, ce qui ne demande pas longtemps, ils sont aussi prêts que quiconque à exprimer des émotions. Attendez-vous à devoir répondre à des questions sans détour sur votre âge, votre famille, votre statut conjugal, votre santé, votre domicile, votre voiture et votre salaire. Vous pourrez exercer sans gêne la même curiosité mais restez prudent – et sensible – sur le nombre d'enfants. En effet, la politique de l'enfant unique cause beaucoup de souffrance et mieux vaut se contenter d'effleurer le sujet, sauf si la personne avec qui vous parlez se montre désireuse de l'approfondir.

De nombreux Occidentaux restés un certain temps en Chine s'y sont fait de chaleureuses et durables amitiés. Les différences de culture intriguent et éveillent l'intérêt des deux côtés, mais ne constituent pas une barrière.

La famille

Dans la plupart des pays riches, la famille traditionnelle (deux parents mariés élevant leurs deux enfants) semble en crise. En Chine, elle demeure considérée comme la base de la société et comme le moyen pour un individu de s'assurer bonheur et sécurité. Les interdictions pesant sur les relations sexuelles ou la vie commune avant le mariage s'assouplissent progressivement, mais les mères célibataires restent rares, tout comme les divorces, même si leur nombre augmente.

La solidarité familiale reste également un pilier de la société chinoise. Ainsi, beaucoup de familles continuent de s'occuper de leurs ascendants plutôt que de les exiler dans des maisons de retraite. Cependant, les changements récents de la société ont tendance à fragiliser ce dogme et le gouvernement, confronté à un vieillissement de la population et à un éclatement de la famille élargie, cherche à mettre en place une protection pour les plus

Des enfants choyés

Les Chinois vouent une passion aux enfants, et si votre progéniture vous accompagne, elle ne manquera pas d'attirer louanges et attentions. Se retrouver au centre de tant d'intérêt peut s'avérer un peu oppressant pour des enfants occidentaux qui n'y sont pas habitués. Leur patience risque ainsi d'être mise à rude épreuve à force de caresses, de tapotements et de pinçons affectueux, sans parler des innombrables photos où il leur faudra poser avec leur horde d'admirateurs. Parfois, des boucles blondes ou rousses – les plus prisées – ne mettent pas plus de quelques minutes à drainer de véritables foules !

âgés. Autre aspect de la solidarité entre les générations, il faut souligner que, en Chine, ce sont bien souvent des parents éloignés, surtout s'ils vivent dans des pays étrangers riches ou à Taïwan, qui assument les frais de scolarité et autres grosses dépenses de la famille restée en Chine.

On attend des enfants qu'ils manifestent du respect envers leurs parents ; c'est le principe de la piété filiale telle que définie par Confucius : la piété filiale est le fondement de toutes les vertus. Elle est due en premier aux parents, puis la piété s'exprime au service du souverain et enfin la vertu suprême est de s'établir dans la vie.

Ironiquement, la politique de l'enfant unique a eu un impact négatif dans la tradition de la piété filiale. Les Chinois se plaignent régulièrement qu'elle a engendré une génération d'égoïstes gâtés par des parents en adoration, et à qui l'on n'a pas transmis dès le plus jeune âge la pratique du partage et du compromis. Ils ont pris le surnom de « petits empereurs » et, dans les villes les plus riches, vous en verrez souvent s'adonner à leur jeu favori : obtenir des adultes qu'ils leur achètent tout ce qu'ils demandent. La loi ayant été appliquée avec moins de rigueur dans les zones rurales, la vie de famille y a davantage pour moteur l'obligation de faire front tous ensemble pour subvenir aux besoins de la maisonnée.

La politique de l'enfant unique a eu une autre conséquence néfaste : la multiplication des enlèvements. Les victimes en sont principalement des petits garçons revendus à des familles qui les élèvent comme les leurs, mais il arrive aussi que les kidnappés, quand ils sont plus âgés, se retrouvent réduits en esclavage dans des usines ou des mines de charbon. Les parents avaient l'habitude de laisser librement circuler leurs enfants. L'écho donné à ces incidents les a rendus beaucoup plus anxieux. Cette inquiétude s'ajoute à celle provoquée par l'augmentation de la petite délinquance et elle a des répercussions urbanistiques, les résidences closes devenant de plus en plus nombreuses dans les grandes villes. Jusqu'à récemment, ces îlots d'immeubles à l'accès gardé étaient inconnus hors des quartiers habités par les sphères dirigeantes et les résidents étrangers.

Reflet de la complexité des liens au sein des familles traditionnelles, le vocabulaire décrivant les relations de parenté est d'une extrême richesse en mandarin. Il existe ainsi des termes différents pour le frère cadet *(dì)* ou aîné *(ge)*, ou pour la tante selon qu'elle est la sœur du père *(shen)* ou de la mère *(yi)*. Pour rendre le sujet encore plus confus pour des oreilles non informées, ces termes servent aussi à s'adresser à des personnes extérieures à la famille. Le mot *jié* (sœur aînée) sert ainsi couramment de marque de respect envers une jeune fille.

Le culte des ancêtres

Du concept de piété filiale, fondement de la société selon la pensée confucéenne, découle naturellement l'idée que les anciens méritent le plus grand respect. Cette dévotion au grand âge a longtemps eu un défaut. Jusqu'à récemment, quiconque détenait une situation de pouvoir était plus ou moins assuré de la conserver jusqu'à sa mort, sauf à consentir en bougonnant à laisser sa place vers quatre-vingts ans. Cette tradition avait un impact négatif sur l'économie du pays et ne contribuait pas à la promotion de jeunes gens aux idées nouvelles. Le passage à une économie de marché est en train de modifier ces habitudes et, selon une enquête menée en 2007, les travailleurs chinois comptent parmi ceux qui partent le plus tôt à la retraite et qui en ont l'image la plus positive.

Pour les Chinois, les souffles vitaux qui animent l'être humain ne meurent pas avec le corps. Ils rejoignent le royaume céleste d'où ils contribuent au bien-être de leurs descendants, s'ils sont convenablement « nourris » par ces derniers. Cet échange entre morts et vivants, ou culte des ancêtres, a des origines immémoriales. Il reste couramment pratiqué aujourd'hui, notamment lors de la fête de Qingming, où les familles viennent entretenir les tombes, y déposer des offrandes et partager symboliquement un pique-nique avec les esprits des ancêtres (voir page 90).

L'éducation

La société han a de tout temps accordé une grande valeur à l'éducation et à l'érudition. Que la Révolution culturelle ait ruiné la scolarité de toute une génération compte parmi les pires conséquences de cette période de l'histoire récente. L'enthousiasme des Chinois pour le savoir explique en partie la facilité avec laquelle ils s'adaptent à une économie moderne basée sur la connaissance. Les écoliers, les lycéens et les étudiants ont énormément de devoirs, et des examens et concours difficiles jalonnent leur parcours. L'anglais compte parmi les matières enseignées dès le primaire. Les classes comprennent entre 40 et 60 élèves. Les enseignants jouissent d'un profond respect, à défaut de recevoir des salaires en rapport avec cette considération. La demande pour une instruction de haut niveau dépasse les capacités de l'État et le gouvernement a encouragé le développement d'établissements payants, à tous les échelons de l'éducation, pour combler ce déficit. Il existe aussi des formations par Internet et des cours diffusés à la télévision ou à la radio, des supports idéaux pour un pays aussi vaste et peuplé. Malgré les engagements du gouvernement à débloquer des fonds, le finan-

> « Mes difficultés pour avoir ce stylo sont à l'image de toutes nos difficultés. Ma mère m'avait donné de l'argent pour acheter du pain. Depuis des jours, je n'avais que du riz jaune à manger. J'ai préféré avoir faim et économiser, et j'ai pu acheter ce stylo. Pour ce cher stylo, combien j'ai souffert ! Mais ce stylo m'a donné un sentiment de force, il m'a fait comprendre ce qu'est une vie difficile, ou une vie heureuse. »
> *Le Journal de Ma Yan*

cement de l'éducation reste problématique et il est de plus en plus attendu que les parents y participent. De nombreuses écoles publiques exigent désormais des frais de scolarité. Dans les régions les plus pauvres, l'accès à l'enseignement secondaire, et parfois même élémentaire, n'est pas possible pour tous – et surtout pour toutes, car les familles accordent le plus souvent la priorité aux garçons. La Banque mondiale s'efforce d'améliorer la situation en œuvrant de concert avec les autorités chinoises.

Si vous souhaitez vous faire une idée moins abstraite de la question, nous vous conseillons de lire *Le Journal de Ma Yan : la vie quotidienne d'une écolière chinoise* (2001). Publié grâce à un journaliste français à qui il fut remis, il relate les difficultés d'une jeune paysanne du Ningxia, une province du Nord-Ouest. Elle l'a rédigé à treize ans quand elle a appris que tous ses rêves s'effondraient parce que ses parents n'avaient plus les moyens de l'envoyer à l'école. Il offre un témoignage émouvant de l'âpreté de la vie dans une communauté rurale pauvre. Traduit en dix-sept langues, il a permis à son auteur de suivre des études supérieures.

Le guangxi, réseau social
à la chinoise

User de son *guangxi*, c'est-à-dire faire jouer son réseau de relations, est resté pendant des siècles le seul moyen d'atteindre un but : trouver une femme ou un mari, obtenir un emploi, une place à l'école pour son enfant, ouvrir un marché à un produit, accéder à un logement ou partir outre-mer. Ces faveurs étaient accordées et rendues dans le cadre d'un « réseau de confiance » reposant sur un lien interpersonnel basé sur le sentiment de partager un fonds commun. Le plus souvent, un *guangxi* (le terme s'applique au lien comme au réseau) a pour fondement des relations familiales, car la parenté s'accompagne d'obligations morales d'entraide. Mais des personnes extérieures à la famille de naissance peuvent intégrer cette toile d'interdépendance, par exemple grâce aux liens du mariage ou de l'amitié. Parfois, le point de départ se réduit à des attaches réelles ou imaginaires entre personnes portant le même nom. Même sans ancêtres communs, les premiers migrants en Asie du Sud-Est se regroupaient en associations de membres portant le même patronyme afin de se procurer une assistance mutuelle.

Des expériences sociales comme partager un logement ou aller à l'école ensemble peuvent aussi fournir le support du *guangxi*. Dans la conduite des affaires, les Chinois d'outre-mer accordent une grande valeur aux affinités nées de leurs origines. Ils y voient le moyen de minimiser les risques, les coûts de transaction et les incertitudes liées aux relations économiques avec des inconnus. Leurs réseaux d'échanges couvrent toute l'Asie du Sud-Est et peuvent s'avérer très utiles pour des entrepreneurs souhaitant établir des partenariats commerciaux ou trouver de nouveaux fournisseurs en Chine continentale. Beaucoup de Chinois s'associent aujourd'hui à des étrangers, mais ces rapports purement fonctionnels ne s'accompagnent pas de la confiance inhérente aux liens traditionnels. Ceux-ci se sont construits au fil de nombreuses années. Il est illusoire pour un étranger d'espérer se constituer rapidement un « bon *guangxi* ».

Les Chinois chez eux

Dans le climat politique actuel plus détendu, il est devenu de plus en plus courant pour les Chinois d'inviter leurs amis étrangers à venir manger – et même dormir – chez eux, ce qui était inconcevable il y a quelques années. La visite peut désormais se faire au vu et au su de tous, sans devoir répondre à l'interrogatoire d'un responsable de comité de quartier rôdant devant l'immeuble – encore que des voisins curieux risquent fort de reprendre le rôle à leur compte ! Habitués à vivre dans une grande proximité, les Chinois n'ont pas la même conception que les Occidentaux du respect de l'intimité, et ils jugent normal de s'intéresser à ce qui se passe chez leurs voisins. Attendez-vous à être le centre de l'attention. Les hôtes convient souvent des parents, des voisins et des amis à venir jeter un coup d'œil sur l'invité, surtout si certains parlent sa langue ou au moins l'anglais. Le contexte se prête alors à une discussion légère plutôt qu'à un débat sur des sujets sérieux.

La vie quotidienne

Depuis la démolition de la majorité des maisons à cour carrée qui rendaient jadis si séduisantes des villes comme Pékin, leurs habitants vivent pour la plupart dans des gratte-ciel. Les logements ont tendance à être sommaires, et même les plus récents ont souvent un aspect brut, inachevé. Les dimensions sont réduites, selon les critères occidentaux. Peut-être vous fera-t-on asseoir sur un lit casé dans le salon par manque de place ailleurs, puis dîner à une petite table coincée dans un angle, entre la porte d'entrée et celle des toilettes. Pour vos hôtes, ces conditions de vie semblent sans doute bien meilleures que ce qu'ils connaissaient avant. Se loger reste un réel problème en République populaire. La plupart des citoyens de ce pays surpeuplé considèrent comme une bénédiction d'avoir un toit, de disposer d'eau chaude et d'eau froide aux robinets et de profiter d'une cuisine et d'une salle de bains sans les partager avec d'autres familles.

Dans la plupart des grandes agglomérations, l'espace de vie moyen par habitant ne dépasse pas 7 m². Les conflits déclenchés par des incidents mineurs – un enfant joueur ou une radio bruyante – ne sont pas rares dans des immeubles dont les occupants s'entassent les uns au-dessus des autres sans beaucoup d'intimité. La plupart nourrissent l'ambition d'emménager dans des logements plus vastes mais, sauf pour les plus riches, il s'agit souvent d'un rêve irréalisable avant de nombreuses années.

La spéculation immobilière aggrave la situation. En 2010, selon un rapport officiel, 85 % de la population n'avaient pas les moyens de devenir propriétaires.

En général, les paysans qui ont la chance de posséder leur demeure l'agrandissent par étapes, une pièce ou un étage à la fois, quand leurs moyens le permettent.

Depuis la fin des mariages arrangés et la plus grande liberté de choix de résidence accordée aux jeunes couples, la famille étendue perd du terrain. Dans les grandes villes, il devient plus rare que trois ou quatre générations vivent sous le même toit.

Les foyers où un Occidental a la chance d'être invité se rapprochent des normes en vigueur en Europe et aux États-Unis par leur équipement et leur confort. Il y aura invariablement un poste de télévision couleur, un lecteur de DVD et un téléphone. L'ordinateur se fait aussi de plus en plus fréquent. Et le visiteur risque fort de s'apercevoir que le matériel audiovisuel ou informatique qu'il possède chez lui et dont il est si fier a pris un coup de vieux par rapport à celui de son hôte. C'est en effet en Chine que sont désormais fabriqués beaucoup d'appareils de haute technologie et le marché local paraît approvisionné en nouveaux modèles plusieurs années avant l'Europe.

La cuisine abritera un réfrigérateur, une machine à laver et un four à micro-ondes. Bien entendu, il s'agira de produits « *made in RPC* ». Le lave-vaisselle devrait être la prochaine acquisition des familles citadines.

Le manque d'espace donne souvent aux appartements un aspect bondé. Il est rare que des tapis couvrent le sol

L'hospitalité chinoise

Les Chinois se montrent extrêmement hospitaliers. Et aussi humble que puisse être leur logis, ils paraissent très heureux d'ouvrir leurs portes aux visiteurs, contrairement aux Japonais qui, embarrassés par l'exiguïté de leur habitation, préféreront recevoir à l'extérieur. Le thé est servi dès qu'est franchi le seuil. Il est en général accompagné d'amuse-gueules comme des galettes de riz soufflé, des graines de pastèque ou de tournesols grillées, des cacahuètes ou des tranches de fruits frais ou confits. S'il serait impoli de ne pas y toucher, rien n'oblige à en grignoter pendant toute la conversation. Mieux vaut se rappeler qu'il y a de fortes chances qu'ils précèdent un copieux repas.

mais, dans beaucoup de foyers, il est d'usage de retirer ses chaussures à l'entrée. Dans ce domaine, observez ce que font vos hôtes et prenez exemple sur eux.

En semaine, les journées d'un couple de la classe moyenne sont longues. Les deux conjoints ont un emploi et, à leur temps de travail, doit être ajouté celui des trajets et des courses. En outre, même les jeunes élèves de primaire ont beaucoup de devoirs, car en Chine on accorde une très grande importance à l'éducation et aux études. C'est donc plutôt le week-end que les citadins recevront des invités.

Les loisirs à la maison se concentrent autour de l'écran de télévision. Il sert à regarder non seulement les programmes diffusés par les chaînes hertziennes, câblées ou satellitaires, mais aussi des DVD – souvent de films

étrangers. Il s'agit presque invariablement de copies pira-
tées. Le gouvernement s'est engagé à lutter contre leur
diffusion, mais aux vendeurs de rue est venu s'ajouter le
téléchargement de fichiers sur Internet. Le P2P (*pear to
pear* ou partage de fichier entre particuliers) connaît une
très grande vogue.

La vie professionnelle

Les métiers considérés comme valorisants en Chine
ne diffèrent guère de ce qui existe en Occident : ensei-
gnant, médecin, journaliste, ingénieur commercial, etc.
Le pays compte encore beaucoup de fonctionnaires, mais
le mode d'attribution des postes évolue. Les embauches
reposent de plus en plus sur le mérite, et donnent même
lieu à des annonces d'offres d'emploi. Il y a peu, elles
dépendaient d'un bon *guangxi* (voir page 69) ou permettaient aux universités de caser leurs diplômés. En conséquence, les salariés s'investissent davantage, tirent une
plus grande satisfaction de leur travail et ont des revenus
plus élevés. Ils jouissent d'une sécurité d'emploi plus
grande qu'à l'Ouest. Vestiges de la grande époque de
l'industrialisation communiste, quelques « unités de travail », ou *danwei*, prennent encore totalement en charge
leurs employés, du logement aux soins médicaux en passant par les frais de scolarité. Ce mode d'organisation est
cependant en voie de disparition. Il lie à vie un individu à
une entreprise d'État.

Ponctualité et discrétion

Que vous retrouviez un nouvel ami au restaurant, que vous vous rendiez chez un vieil ami ou que vous participiez à une réunion, il est essentiel d'être ponctuel. Arriver en retard, même de quelques minutes, est considéré comme une grave impolitesse. Si un incident vous met dans l'impossibilité d'être à l'heure (les embouteillages sont devenus un problème majeur dans les grandes villes), n'oubliez pas de téléphoner pour prévenir et vous excuser.

Les Chinois se lèvent et se couchent tôt. Le déjeuner se prend vers midi et le dîner commence vers 18 heures. Réunions et visites ne s'éternisent pas. Un repas peut durer longtemps mais, une fois qu'il est terminé, la règle veut que les invités ne restent que quelques minutes à bavarder avant de se lever et de partir. Les discussions interminables, ponctuées de cafés et de pousse-café, n'ont pas cours en Chine. Vos hôtes manqueraient de politesse s'ils ne vous accompagnaient pas jusqu'à la porte d'entrée ou à votre taxi pour vous dire au revoir. Si c'est vous qui recevez, il vous revient d'en faire autant.

Quels cadeaux faire ?

Quand des Chinois se rendent en Occident, ils emportent invariablement des petits présents typiques. Il s'agit là d'une excellente coutume à imiter. Si vous répondez à

une invitation à titre amical ou dans un cadre professionnel, de petits objets décoratifs comme des presse-papiers
ou des objets en porcelaine conviendront. Le whisky (les
meilleures marques) et les cigarettes étrangères sont également bien accueillis, mais les Chinois ne partagent pas
notre amour des sucreries et mieux vaut éviter les cho-
colats. Trouver des fleurs ou des plantes vertes relevait
autrefois de la gageure, mais cette époque est révolue et
des fleuristes ouvrent partout. Une plante dans un joli
pot fera d'autant plus plaisir que les intérieurs chinois restent plutôt ternes selon nos standards. Le fleuriste mettra
le plus grand soin à emballer votre cadeau pour un prix
ridiculement faible. Des présents alimentaires, comme
des fruits onéreux, recevront également un bon accueil.
Ils sont eux aussi devenus faciles à trouver.

Votre interprète appréciera probablement un livre en
français (ou en anglais) ou un enregistrement de roman
ou de pièce. Un bon CD de musique classique, de jazz
ou de chansons sera une bonne alternative à l'offre des
pirates locaux, peu sélective et souvent d'une qualité de
gravure lamentable.

Pour un déplacement d'af-
faires, l'étiquette change un
peu. La personne la plus élevée
dans la hiérarchie s'attendra à
recevoir un cadeau plus important. Si ce dernier est vraiment
de valeur et que sa nature s'y
prête, rien n'interdit de mani-

> **Une montre ou une pendule constituent des cadeaux à éviter absolument en Chine. Car, en mandarin, « offrir une pendule » se prononce exactement comme « conduire quelqu'un à sa mort ».**

fester clairement qu'il est offert pour le groupe tout entier. Sinon, des objets portant la marque de votre entreprise (comme des stylos, avec recharges si nécessaire), des cravates, des cendriers ou de la petite verrerie feront très bien l'affaire.

Il devient difficile de trouver des cadeaux adaptés à des hôtes chinois car beaucoup d'articles vendus en Occident sont désormais fabriqués dans leur pays. Mais c'est l'intention qui compte, plus que l'objet en lui-même.

Une coutume risque de surprendre le visiteur non informé. En effet, beaucoup de Chinois n'ouvrent pas un cadeau emballé devant la personne qui l'a apporté et s'empressent parfois de le ranger dans un placard. Il ne s'agit pas d'une marque de déplaisir, c'est juste qu'il n'est pas « approprié » de déballer un présent devant le donneur.

Les noms chinois

Le groupe familial étant traditionnellement considéré comme plus important que l'individu, le nom de famille précède le prénom. Zhang Hua est donc M. Zhang et non M. Hua. Mais il arrive que des Chinois adoptent l'usage occidental de placer le prénom en premier. Surtout quand deux syllabes suffisent à désigner une personne, comme « Jing Wang », une sage précaution consiste à vérifier s'il s'agit de monsieur ou de madame Jing, ou de monsieur ou de madame Wang.

Même au quotidien, les échanges prennent des tournures plus cérémonieuses qu'en Occident, et vous risquez de commettre un impair si vous omettez un titre comme M., Mme ou Mlle. Le terme *tongjia* (camarade), autrefois universellement utilisé par les communistes, est tombé en désuétude.

Vous entendrez aussi employer des titres professionnels comme Maire Wang, Directeur Li, Professeur Zhang, etc. Il s'agit d'une traduction littérale d'une façon de s'adresser à son interlocuteur très répandue en mandarin. Vous avez tout intérêt à prendre ce pli, parce que vous allez presque certainement rencontrer plusieurs personnes portant le même patronyme et que cela vous aidera à les distinguer.

Un surnom affectueux donné au paysan est *lao bai xing*, ce qui signifie « 100 noms ». Il existe en fait 438 noms de famille chinois, un nombre minuscule pour la taille de la population. Trente seulement comportent deux syllabes et les autres n'en comptent qu'une. Les personnes portant les plus courants, comme Zhang, Wang, Wu, Zhao et Li, se comptent donc par millions. Long d'une ou deux syllabes, le prénom est très souvent attribué selon un mode adopté par la famille des générations plus tôt. Un caractère peut alors être partagé par toute une fratrie, dont font partie les cousins germains du côté paternel. Li Weiguang aura ainsi un frère ou un cousin nommé Li Weiguo et une sœur appelée Li Weiling. Li est son nom de famille, Wei son caractère « générationnel ».

Les Chinois accordent une grande importance à la sonorité et au sens des noms. Si vous trouvez quelqu'un qui a la gentillesse d'imaginer pour vous un nom chinois qui corresponde phonétiquement à votre patronyme occidental, tout en ayant un sens positif et de bon augure, votre carte de visite aura un impact très différent. Il convient d'apporter le même soin au choix d'un nom occidental pour un Chinois. N'hésitez pas à vous aider d'un dictionnaire des prénoms.

> **Une coutume qui paraît spécifiquement conçue pour dérouter l'étranger consiste pour les Chinoises à ne pas changer de nom de famille à leur mariage. On peut ainsi fréquenter pendant longtemps Mme He et M. Li sans réaliser qu'ils sont en fait époux.**

Que des enfants s'adressent à leur père par son prénom est considéré comme un manque de respect. Dans les familles les plus traditionnelles, la règle s'applique aussi à l'épouse. De même, il est inconvenant qu'un étranger du sexe opposé utilise le prénom de l'épouse ou du mari. Si vous avez pour ami le professeur Zhang Dai Lin, appelez-le (ou appelez-la – beaucoup de prénoms étant portés aussi bien par des femmes que par des hommes) Professeur Zhang et non Dai Lin, à moins que vous ne partagiez une réelle intimité.

Une façon de s'adresser moins cérémonieuse consiste à faire précéder le nom des termes *xiao* (petit ou jeune) ou *lao* (vieux). La limite se situe aux environs de 35 ans. Donc, un visiteur habitué à s'entendre appeler Xiao Dupont à son arrivée en Chine deviendra Lao Dupont si son séjour se prolonge. Il s'agira d'une marque de respect pour son gain en maturité, même si son amour-propre aurait préféré que son âge passe inaperçu… Quand une personne atteint un très grand âge, le qualificatif *lao* change de place dans l'énoncé du nom. Le président Deng Xiaoping, qui mourut à 93 ans, était appelé Deng Lao. Parfaitement acceptable entre amis et collègues, l'usage des termes *xiao* et *lao* offre aux étrangers un moyen plus aisé de se dépêtrer des subtilités des noms chinois. Mais ne les utilisez jamais lors d'une première rencontre. Attendez de bien connaître la personne, puis vous pourrez demander si cela lui pose problème. Dans le cadre des rapports professionnels, mieux vaut s'en tenir à la forme M. Dupont, Mme Durand ou Mlle Dubois, et réserver le prénom aux relations amicales.

Surmonter la barrière des langues

Peu de Chinois parlent ou apprennent le français. C'est donc l'anglais qui offre le meilleur moyen de communiquer avec eux. Il est enseigné à tous les niveaux d'éducation et obligatoire dans les cycles secondaires et supérieurs. Cependant, les bouleversements qu'a connus le système éducatif pendant la Révolution culturelle et ses séquelles font que la maîtrise qu'en auront vos amis et vos relations variera considérablement. Beaucoup auront une meilleure pratique de la lecture ou de l'écriture que de la parole. Ce qui n'est pas obligatoirement un inconvénient pour un Français, car il est en général plus facile

De la difficulté de communiquer

Pour l'essentiel, un visiteur en Chine établira des rapports avec des membres de la classe moyenne citadine bien informés de ce qui se passe dans le monde. Ces derniers ont souvent plus en commun avec un Occidental qu'avec les paysans pauvres de leur propre pays. Un étranger peut avoir l'occasion de faire d'autres rencontres au cours de son voyage, mais la conversation restera limitée. La langue pose le premier problème. Même si vous maîtrisez suffisamment de mandarin pour avoir un échange simple, vous serez sans doute confronté, hors des grandes villes, à des accents et des dialectes locaux difficiles à comprendre pour les Chinois eux-mêmes. Ils rendront d'autant plus difficile la tâche de jeter un pont au-dessus de l'abîme séparant des systèmes de référence et de connaissance extrêmement éloignés.

d'avoir une conversation en anglais avec une personne dont ce n'est pas la langue natale, qui aura ainsi la même tendance que vous à s'en tenir à un vocabulaire simple, à faire des phrases courtes et à ne pas parler à toute vitesse. Si vous avez l'impression de ne pas avoir été compris, reformulez votre propos plutôt que de vous contenter de le répéter. Et prenez soin de ne pas élever la voix.

Si vous passez par les services d'un interprète, évitez les longues tirades. Faites des pauses rapprochées pour lui laisser le temps de traduire au fur et à mesure. Et pensez à votre regard. Il doit rester principalement fixé sur votre interlocuteur et non sur l'intermédiaire. Pour rendre ces échanges plus personnels, n'hésitez pas à apprendre quelques phrases simples en chinois.

Politesse et savoir-vivre

La poignée de main

Lors d'une première rencontre avec une personne de tout âge ou sexe, à l'exception d'un très jeune enfant, il est de coutume de se serrer la main, souvent bien plus longtemps qu'il n'est habituel en Occident. Un salut de tête ajoutera une marque de respect. Présenté à un groupe, il convient de serrer la main à chacun de ses membres sans en oublier aucun. Après ce premier contact, observez comment se comporte la personne avec qui vous parlez pour tout ce qui concerne les contacts physiques.

Se lever

Les règles de politesse ne cessent de se simplifier en Occident et l'habitude de se lever quand une personne entre dans la pièce a pratiquement disparu. En Chine, il serait vexant de ne pas s'extraire de son fauteuil pour lui serrer la main. Il convient ensuite d'attendre qu'elle vous invite à vous asseoir. En toutes circonstances, en cas de doute, mieux vaut pécher par excès de formalisme. La seule situation où cette règle ne s'applique pas, c'est une réunion de travail où un employé très subalterne entre timidement pour venir murmurer quelque chose à l'oreille d'un des participants, généralement à propos d'une question d'intendance. Ne sautez pas sur vos pieds le bras tendu, contentez-vous de sourire poliment. Pour remettre une carte de visite, tenez-la à deux mains, et prenez à deux mains, en inclinant la tête, celles que l'on vous donne.

Le savoir-vivre à la chinoise

Comparés aux habitants d'autres pays d'Asie plus marqués par la religion et où les rapports sociaux sont hautement ritualisés, comme l'Inde, l'Indonésie ou le Japon, les Chinois ont une attitude simple et directe. Les années passées à s'identifier à « l'ouvrier, paysan, soldat » (c'est-à-dire aux classes sociales les plus pauvres et les moins éduquées) ont relativement décomplexé leur comportement au quotidien. Néanmoins, les manifestations physiques d'affection en public sont rares et vous ne verrez jamais un couple s'embrasser. C'est un acte que vous devriez aussi éviter hors de l'intimité.

Encore récemment, il était de rigueur d'exprimer son contentement à la fin d'un repas par un rot sonore. Les Chinois qui ont eu des contacts avec les Occidentaux ont remarqué que leurs invités appréciaient peu et ils ont abandonné la pratique.

La poussière du désert de Gobi, dans le Nord, et une propension à beaucoup fumer, dans tout le pays, entretiennent chez les gens simples l'habitude déplaisante de se racler bruyamment la gorge et de cracher. Vous devrez apprendre à le supporter. Les nombreuses campagnes de santé qui ont tenté de limiter cet épandage de germes n'ont eu qu'un succès très limité. Paradoxalement, si vous avez un rhume et avez besoin de vous moucher, mieux vaut sortir de la pièce. De nombreux Chinois trouvent dégoûtant de faire cela devant autrui.

Une autre règle de savoir-vivre consiste à s'habiller pudiquement et à éviter les pieds nus en été : porter des chaussettes dans des sandales est peut-être ringard à Saint-Tropez, mais c'est un must en Chine.

Attention au flirt

Les Chinoises et les Chinois n'ont été libérés que récemment de l'obligation d'obtenir de la hiérarchie de leur *danwei* (unité de travail) l'autorisation de se fiancer ou de se marier. Cette contrainte avait en partie pour but d'empêcher les unions arrangées entre très jeunes gens et il était obligatoire d'avoir au moins 25 ans pour convoler (ou simplement flirter). Se fréquenter est devenu beaucoup plus libre et facile aujourd'hui, mais les jeunes couples ont toujours du mal à disposer d'endroits où se retrouver dans l'intimité. Ceux qui ont une vie commune sans être mariés sont rarissimes, entre autres à cause du manque de logements. Sortir ensemble reste généralement considéré comme le premier pas vers un mariage. Les visiteurs occidentaux doivent en avoir conscience. Ce qui peut leur apparaître comme une aventure sans conséquence risque d'être pris beaucoup plus à cœur par le/la partenaire chinois(e), qui s'attendra souvent à ce que cette histoire d'amour débouche sur des noces. La puissance d'attraction qu'a conservée la vie en Occident rend d'autant plus grand le risque d'abuser de son pouvoir sans le vouloir. S'il s'agit juste de se distraire, les bars et des boîtes de nuit offrent un large choix aux étrangers célibataires des deux sexes.

Les loisirs

Disposant aujourd'hui de davantage de temps de repos, de liberté d'action et d'argent que par le passé, les Chinois entrent peu à peu dans la société des loisirs. Des loisirs modestes dans l'ensemble, à l'image des moyens dont la population concernée dispose. Dans les villes, les Chinois sont nombreux à surfer sur Internet, regarder la télévision, lire, jouer au mah-jong et aux échecs, prendre soin d'animaux domestiques, collectionner des timbres, s'adonner au *tai chi* et au *qigong* (voir page 124), pratiquer un sport, assister à des matches, sortir au restaurant, fréquenter des dancings, des discothèques et des bars à karaoké ou aller au théâtre et au cinéma. Les possibilités demeurent beaucoup plus restreintes en zone rurale. C'est plus par plaisir que par nécessité que les citadins courent les grands magasins modernes, dont le nombre ne cesse de croître. Une grande étape reste cependant à franchir : que le niveau de vie augmente jusqu'à rendre largement accessibles les voyages à l'étranger, toujours réservés à quelques rares privilégiés.

Religion, fêtes et rituels

De nombreuses religions

L'État a pour ligne officielle de tolérer la religion, mais de ne pas l'encourager. La Constitution garantit la liberté de foi et interdit la discrimination envers les croyants comme les non-croyants, mais la pratique ne s'accorde pas toujours avec la théorie. La population comprend environ 100 millions de bouddhistes, 18 millions de musulmans, 10 millions de protestants et 4 millions de catholiques. Ces chiffres ne reposent toutefois que sur des estimations, les Chinois se montrant en général très discrets sur leurs pratiques religieuses.

Bien qu'ils soient en majorité athées, leurs fêtes traditionnelles et les croyances et rituels qui y sont attachés gardent une grande importance car ils structurent l'année et contribuent à donner un sens à la vie et à définir la position des individus, au sein de leur famille comme dans le monde en général. Un auteur chinois a écrit : « les Chinois se préoccupent davantage de se concilier des démons que d'adorer des dieux. » C'est exactement la fonction de la plupart des cérémonies traditionnelles et, pour des yeux occidentaux, les divinités légendaires comme le singe Sun Wukong, compagnon du moine Xuanzang dans le roman *La Pérégrination vers l'Ouest* (Wu Chengen, XVIᵉ siècle), paraissent cruelles et égoïstes.

Les fêtes traditionnelles

De nombreuses fêtes rythment le calendrier lunaire et beaucoup restent célébrées dans tout le monde sinisé. La première de l'année – et la plus importante – porte à l'étranger le nom de Nouvel An chinois, et celui de fête du Printemps en République populaire, où l'année débute officiellement le 1ᵉʳ janvier.

Le Nouvel An chinois

Fixé au début de la deuxième lune après le solstice d'hiver, soit entre le 21 janvier et le 20 février, cette fête donne lieu à plusieurs jours de congé et tombe dans une période peu chargée en travaux agricoles. Ces conditions offrent l'occasion aux familles de se réunir et mieux vaut alors prévoir ses déplacements à l'avance.

L'atmosphère est à la gaieté et au renouveau. On apure ses dettes, rafraîchit la décoration des maisons, étrenne des vêtements neufs et échange des cadeaux. Parents et amis se rendent mutuellement visite. Des chapelets de pétards explosent à tout moment du jour ou de la nuit, même si les villes imposent depuis quelques années des restrictions à leur usage. Leurs crépitements sont censés éloigner les esprits malfaisants et saluer l'année nouvelle. C'est une époque de bombance marquée par une consommation de viande plus importante que d'habitude. Les familles préparent et mangent des centaines de *jiaozi*, des raviolis en forme de lingots d'or supposés apporter chance et prospérité. Les douceurs comptent le *niangao*, un gâteau de riz gluant souvent parfumé au haricot rouge et au longane. Les plus jeunes membres de la maisonnée rendent hommage à leurs aînés et, dans les foyers les plus traditionnels, aux ancêtres. Du papier rouge, couleur de bons auspices, sert à la confection d'enveloppes dans lesquelles les enfants reçoivent des étrennes, ainsi qu'à la fabrication de bandes ornementales portant des inscriptions favorables. Les décorations incluent aussi des estampes. Dans de nombreuses localités, les réjouissances comprennent aussi une danse du lion et des parties de jeux d'argent qui durent parfois des nuits entières.

Dans le calendrier traditionnel chinois, à chaque nouvelle année correspond l'un des douze animaux de l'astrologie chinoise. Ils se suivent dans cet ordre : le rat, le bœuf, le tigre, le lapin, le dragon, le serpent, le cheval, la chèvre, le singe, le coq, le chien et le cochon. Dans le cycle actuel,

Traditionnellement, dans la semaine qui précède le Nouvel An, a lieu une cérémonie au dieu du foyer, chargé de rendre visite à l'Empereur de jade pour lui narrer toutes les bonnes et mauvaises actions de la famille. Des aliments gluants sont déposés devant son image, avec l'espoir que ces friandises l'empêcheront de trop médire…

commencé en 2008, le lapin, le dragon et le serpent se succèdent en 2011, 2012 et 2013. À chacun de ces douze animaux sont attachées des qualités et des caractéristiques de tempérament qui sont censées marquer les personnes nées dans l'année en question. Il s'agit toutefois moins de traits supposés acquis dès la naissance – comme le sont les attributs de signes zodiacaux tels le Verseau, la Vierge ou le Taureau – que de directions qu'il est recommandé à l'individu de suivre car elles sont favorables à son épanouissement.

Qingming ou la fête des Morts

Cette fête se déroule le troisième jour du troisième mois lunaire. Les familles se rendent sur les tombes de leurs ancêtres pour les nettoyer et faire des offrandes de viande, de poisson, de fruits et de vin aux morts de la maisonnée. Ces aliments servent ensuite à un pique-nique pris à côté du lieu de sépulture, banquet symbolique entre les morts et les vivants.

Beaucoup de familles possédaient jadis un lieu réservé aux ancêtres où elles conservaient des tablettes en bois portant les noms des ascendants mâles. Les gardes rouges en ont dévasté des milliers dans les années 1960. Ces tablettes permettaient pour certaines de remonter des lignées sur plusieurs siècles. Dans la ville de Qufu, lieu de naissance de Confucius, presque tous les habitants possèdent le même nom de famille que lui, Kong, et peuvent ainsi faire remonter leurs origines au moins jusqu'au VIe siècle avant notre ère.

La fête des Bateaux-Dragons

Également appelée fête du Double Cinq, car elle a lieu le cinquième jour du cinquième mois lunaire, *Duanwu jie* est la forme moderne d'une célébration très ancienne dont le sens premier s'est perdu. Elle est aujourd'hui associée au poète Qu Yuan, décédé au IIIᵉ siècle av. J.-C. Ce loyal serviteur du royaume de Chu, un État du Sud de la Chine, se jeta dans une rivière quand les Qin vainquirent son souverain qui avait rejeté ses conseils.

Les temps forts des réjouissances sont des courses de bateaux peints de couleurs vives et dotés de têtes de dragon, où les rameurs s'activent au son des tambours. Elles offrent l'occasion de déguster des *zongzi*, gâteaux de riz gluant aux parfums variés enrobés de feuilles de bambous. Selon la légende, des paysans réussirent à ce que les poissons ne s'attaquent pas au corps de Qu Yuan en jetant à l'eau de semblables boulettes.

C'est dans le Sud et à Hong Kong, ville dont les habitants sont demeurés plus fidèles aux traditions anciennes, que *Duanwu jie* reste le plus populaire. Le Nord aride manque de rivières convenant à l'organisation de courses de bateaux.

La fête de la Mi-Automne

Elle porte aussi le nom de fête de la Lune et se déroule le quinzième jour du huitième mois lunaire (aux environs de mi-septembre), moment où la pleine lune est considérée comme la plus lumineuse et la plus belle de l'année. Dans les villes, les parcs restent ouverts le soir pour

Calendrier des fêtes traditionnelles

Chun jie ou Nouvel An chinois (fête du Printemps)	Nouvelle lune de fin janvier ou début février
Yuanxiao jie ou fête des Lanternes	1re pleine lune après la fête du Printemps
Qingming jie ou Pure Lumière	3e jour du 3e mois lunaire
Duanwi jie ou fête des Bateaux-Dragons	5e jour du 5e mois lunaire
Zhongqiu jie ou fête de la Mi-Automne	15e jour du 8e mois lunaire

permettre de pique-niquer en la contemplant. La tradition fait de notre satellite le lieu de résidence de la déesse Chang'e, qui s'y installa après avoir bu prématurément l'élixir d'immortalité. Son époux, l'archer Youhi, vient lui rendre visite en ce jour où elle resplendit. Elle a pour voisin Yue Lao, le dieu du Mariage, particulièrement actif à cette période de l'année à lier les couples avec un fil de soie rouge invisible.

Comme la fête du Printemps, il s'agit d'une occasion pour les familles de se retrouver. Les plus fidèles aux anciens usages se réunissent autour d'une table circulaire pour symboliser la continuité. On chante de vieilles chansons (ou des airs de karaoké) et l'on expose des lanternes ouvragées. Pour tous les gourmands, le temps fort est la dégustation des *yuebin* (« gâteaux de lune »). Ces pâtisseries rondes, dont la recette varie d'une région à l'autre, peuvent avoir des garnitures variées où entrent des ingrédients comme la pâte de graines de lotus, les fruits secs, le jambon ou le jaune d'œuf. Selon une légende, les insurgés à l'origine du renversement de la dynastie mongole des Yuan donnèrent le signal de la révolte par des messages cachés dans ces gâteaux que seuls les Chinois mangeaient. Ils mêlent les saveurs sucrées et salées, et peu d'étrangers les apprécient. Mais ils sont beaux et constituent des cadeaux appréciables.

Les fêtes officielles

Les grandes célébrations de la République populaire de Chine comprennent la fête du Travail (1er mai), la fête de la Jeunesse chinoise (4 mai), l'anniversaire de l'Armée populaire de libération (1er août) et la Fête nationale (1er octobre). Elles ne présentent pas beaucoup d'intérêt pour les visiteurs. Même les défilés de blindés et d'artillerie lourde hérités de l'ère soviétique ont discrètement cessé d'avoir cours. Les employés profitent plutôt de jours de congés très appréciés, pendant lesquels ils sont encouragés à aller dépenser de l'argent dans les magasins. À en juger par les foules qui s'y pressent, l'incitation atteint son but. En 2009, au début de la crise économique, le magazine *Liaowang (Point de vue)* écrivait : « Consommer, c'est aimer son pays. Le patriotisme ne signifie pas seulement verser son sang sur le champ de bataille. En ces

Jours fériés nationaux (calendrier solaire)

Nouvel An	1er janvier
Fête du Printemps	11-14 février
Journée internationale des Femmes	8 mars
Fête du Travail	1er mai
Fête de la Jeunesse chinoise	4 mai
Journée internationale de l'Enfant	1er juin
Anniversaire de l'Armée populaire de libération	1er août
Fête des Enseignants	10 septembre
Fête nationale	1er octobre (2 jours)

temps où la crise mondiale affecte notre économie, aller consommer est du véritable patriotisme. »

Évitez de prévoir un voyage professionnel en Chine pendant les périodes de la Fête nationale et du Nouvel An chinois. Vous risquez de ne trouver personne dans les bureaux, comme à l'époque de Noël en Occident. Les Chinois ne célèbrent pas cette fête chrétienne et le 25 décembre est un jour de travail normal. Les grandes villes ont toutefois adopté une version chinoise de Noël, qui a pour but principal d'utiliser le Père Noël à des fins mercantiles.

Les fêtes familiales

Les naissances

La venue au monde d'un enfant, en particulier d'un garçon, est considérée comme un très heureux événement : la continuité de la famille est assurée. Un mois après la naissance est organisé un repas de fête comprenant des œufs durs à la coquille peinte en rouge. La mère recommence à se laver les cheveux, ce qu'elle avait cessé de faire de peur que cela ne l'affaiblisse. Une autre pratique traditionnelle consiste à lier serré un linge blanc autour du bébé, un peu à l'image de l'enfant Jésus emmailloté. L'objectif était à l'origine de s'assurer que ses jambes grandiraient droites. En fait, les déformations des membres avaient pour cause la malnutrition. Comme le calendrier traditionnel calcule l'âge depuis le moment de la conception, un nouveau-né a déjà un an. En général, les anniversaires ne sont pas célébrés. Il en existe un pour tout le monde le septième jour du Nouvel An chinois.

Les mariages

Les noces restent des démonstrations de faste hautes en couleur. Jadis, c'était la famille qui décidait pour les fiancés, qui ne se rencontraient que le jour du mariage. L'homme se devait de perpétuer la lignée et la femme de lui donner des enfants. Avant la cérémonie, un intermédiaire rémunéré réglait les détails de ce qui était, en réalité, une transaction financière. Quand l'accord était

Les nouvelles concubines

Sources de prestige à l'époque impériale, les concubines vivaient sous le même toit que l'épouse, dans le cadre d'une relation encadrée par la loi. Études et reportages montrent que cette pratique, interdite du temps de Mao, a repris selon un mode plus moderne. Hommes d'affaires, notables et responsables du parti entretiennent dans des garçonnières des maîtresses souvent beaucoup plus jeunes qu'eux. Certaines financent ainsi leurs études. Il faut se montrer prudent dans le jugement moral de ce phénomène car la pensée chinoise n'associe pas le sexe au péché contrairement à la morale judéo-chrétienne. Il a néanmoins pour défaut indéniable d'alimenter la corruption. La polyandrie d'usage au Tibet, où une femme avait couramment plusieurs époux, en général des frères ou des cousins, est en voie de disparition.

conclu, la jeune mariée (qui n'avait souvent pas plus de 14 ans) rejoignait la maison de l'époux en chaise à porteurs. Personne ne la voyait. Toutes les ouvertures étaient si bien fermées que l'on rapporte des cas de décès par suffocation en cours de route. Ces drames n'empêchèrent pas le « mariage » d'avoir lieu.

Il était rare qu'un mariage fût heureux dans la Chine ancienne, entre autres parce que les belles-mères se montraient souvent cruelles envers leurs brus. Il était considéré immoral pour les femmes de se remarier après le décès de leur conjoint. Rien d'étonnant à ce qu'il ait existé des sociétés secrètes d'adoratrices de la déesse Kwan Yin qui se vouaient au célibat. Beaucoup s'attachaient comme domestiques pour toute leur vie à des familles riches, ce qui les mettait hors de portée de leurs propres familles et d'éventuels marieurs.

Les mariages arrangés n'ont plus cours aujourd'hui. Toujours considéré comme un engagement pour la vie entre deux êtres voués à se rester fidèles, le mariage peut être rompu par un divorce, mais les cas restent rares. Le plus souvent, les époux travaillent tous les deux et tendent à partager les tâches ménagères ainsi que l'éducation des enfants. Rester célibataire au-delà d'un certain âge continue de susciter des marques de compassion attristée, mais n'impose plus de subir la pression exercée autrefois. En ville, les repas de noce, toujours bruyants, ont lieu dans des restaurants. Dans les décorations domine le rouge, couleur de bon augure.

Les funérailles

Pour l'essentiel, les nombreuses croyances entourant la mort en Chine ont toujours cours au XXIᵉ siècle, malgré les campagnes politiques menées pour les éradiquer au XXᵉ siècle. Encore récemment, il était de coutume d'enterrer des vêtements et des bijoux avec le corps. À Hong Kong, on trouve des boutiques remplies d'imitations en papier de meubles, voitures ou maisons. Les brûler pour qu'ils rejoignent le royaume des esprits permet au mort de jouir de tout le confort. Même les non-croyants paient souvent un moine bouddhiste ou taoïste pour qu'il dise des prières (longues de plusieurs heures) ou célèbre une cérémonie pour l'âme du disparu. Une autre tradition, étrange à des yeux occidentaux, consistait à acheter le cercueil à l'avance et à le garder à la maison. En résumé, les Chinois n'ont pas à se réconcilier avec l'idée de mourir. Pour eux, le décès n'est qu'un des événements majeurs du cycle de la vie.

La couleur portée aux enterrements est le blanc. Si le défunt a atteint l'âge de 70 ans – ce qui est curieusement la durée de vie définie comme naturelle pour l'homme dans la Bible –, son départ n'est censé éveiller qu'un chagrin modéré. De bruyantes lamentations rituelles n'en ponctueront pas moins la procession funèbre.

Les Chinois croient que le cadavre a besoin de passer intact dans l'autre monde et ils rejettent donc majoritairement la crémation, ce qui pose un réel problème dans les grandes villes surpeuplées, où la place manque pour les cimetières. Cet attachement à l'intégrité du corps a une autre conséquence : les dons d'organes sont rares. Une carence qui affecte surtout les communautés d'outre-mer, car peu d'hôpitaux de la République populaire possèdent l'équipement nécessaire à cette chirurgie de pointe.

Nourriture et boissons

Il est rare que les visiteurs étrangers ne goûtent pas à la cuisine chinoise. Les plus habiles sont même déjà initiés à l'art délicat du maniement des baguettes. Pour autant, ils ne sont peut-être pas préparés à ce que l'auteur Colin Thubron décrit comme la « relation passionnée » des Chinois avec la nourriture. Elle s'explique, entre autres, par une perception aiguë que l'abondance n'est pas une évidence. Les dernières famines ne remontent qu'aux années 1960 et elles restent inscrites dans les mémoires. Dans de nombreuses régions, la pauvreté réduit les régimes alimentaires au strict minimum.

Malgré le développement de la réfrigération, les plats préparés n'ont pas conquis les cœurs. Les aliments continuent d'être cuits pour chaque repas et, souvent, poissons, animaux et volailles sont abattus très peu de temps avant leur utilisation. Faire les courses est une activité pratiquée avec enthousiasme. Tout est minutieusement inspecté, palpé, secoué et reniflé avant acquisition.

L'alimentation traditionnelle chinoise intègre de nombreux légumes cuits rapidement afin de préserver leurs vertus. Et plutôt que de s'attabler pour de copieux

Le paradis des fumeurs

Peu de femmes mais beaucoup d'hommes fument en Chine. Dans les repas officiels, des cigarettes sont presque toujours proposées avec le thé. Les effets du tabac sur la santé ne semblent inquiéter pratiquement personne et il est très difficile d'échapper à la fumée dans les restaurants. Un jeune Chinois occupé à manger tout en tirant sur la cigarette qu'il tient dans la main laissée libre par les baguettes n'a rien d'un spectacle hors du commun. Officiellement toutefois, comme partout dans le monde, fumer est désormais interdit dans divers lieux publics. En pratique, la règle est peu respectée.

repas, les Chinois mangent de petites quantités à tout moment de la journée. C'est l'une des raisons pour lesquelles la minceur reste encore la norme dans leur pays – même si le surpoids et l'obésité se sont développés de façon inquiétante ces dernières années. D'un autre côté, ils adorent le sucre et utilisent sans restriction le glutamate de sodium comme exhausteur de goût. Dans certaines régions au climat rigoureux, une consommation excessive de conserves en saumure, seul moyen de disposer de légumes au cœur de l'hiver, s'accompagne d'une fréquence élevée de certains types de cancer.

Le visiteur occidental aura l'occasion de profiter d'un choix fantastique de mets. Certains se révèlent immédiatement appétissants, comme les bouchées à la vapeur, le tofu cuisiné de mille et une manières, la soupe aigre-douce ou la fondue mongole. D'autres, tels les œufs de cent ans ou le chien, sont d'un abord plus difficile.

Enfin, pour le visiteur nostalgique de saveurs plus familières, les grandes villes offrent un large choix de fast-foods vendant hamburgers et pizzas, ainsi que des restaurants italiens, indiens, japonais, coréens et mexicains. Des supermarchés – le plus souvent français – permettent de se procurer des produits typiques contre le mal du pays : pain, fromage, lait, café et véritable chocolat.

Les grandes cuisines régionales

Selon les autorités consultées, il existe quatre, huit ou dix écoles culinaires en Chine. Les quatre principales ont pour berceaux Canton, le Shandong, le Sichuan et le Jiangsu. Pour arriver à huit, vous ajoutez le Hunan, le Fujian, l'Anhui et le Zhejiang. Il ne vous manque plus que Pékin et Shanghai pour faire dix.

Il convient aussi de ne pas oublier les spécialités moyen-orientales des minorités musulmanes comme les Hui et les Ouïghours. Servies dans du *naan* (pain plat) avec de la salade et une sauce épicée, les brochettes d'agneau vendues dans les échoppes installées en bordure de route sont aussi délicieuses que bon marché.

La cuisine cantonaise

Synthèse du meilleur de ce que ses concurrentes ont à offrir, elle tire parti d'un immense éventail d'ingrédients où poissons d'eau douce et produits de la mer tiennent une place de choix, mais où figurent aussi oiseaux, rats, serpents et insectes. Selon un dicton, « les Cantonais mangent tout ce qui vole dans le ciel sauf un avion, tout ce qui a quatre pattes sauf une table. » Une grande variété de modes de cuisson permet de respecter la saveur des aliments frais. Les recettes les plus typiques comprennent « trois espèces de serpents à l'étouffée », les plats de viande de chien, la soupe de serpent, la casserole de coquille molle de tortue et le cochon de lait croustillant.

La cuisine du Shandong

Sur cette péninsule, les produits de la mer dominent la gastronomie. Les spécialités comptent le concombre de mer frit aux oignons, les œufs de seiche à la vapeur, l'aileron de requin aux œufs de crabe, le poulet grillé de Dezhou et les noix en soupe de beurre.

La cuisine du Sichuan

Réputée pour ses saveurs relevées, elle a pour devise « une centaine de plats avec une centaine de goûts » et demande à être testée avec prudence si l'on craint le piment. Parmi les mets les plus connus figurent la viande au parfum de poisson, le tofu au porc haché en sauce épicée, la fondue sichuanaise et le canard fumé au thé. Le poivre du Sichuan, une variante locale, a pour particularité d'engourdir les lèvres. L'expérience s'avère un peu effrayante la première fois, mais pas désagréable quand on en a pris l'habitude.

La cuisine du Jiangsu

Renommée pour ses spécialités de Suzhou, de Yangzhou, de Nanjing et de Zhenjiang, elle compte parmi les deux grandes traditions gastronomiques du Sud. Elle se distingue par le soin apporté à la découpe des aliments, l'usage de cuissons à feu doux, des parfums discrets et une présentation colorée. Les valeurs sûres comprennent le poisson mandarin en forme d'écureuil, le poulet du mendiant, le canard mariné, la bouillie d'œuf de canard et de porc, le crabe à la vapeur et les boulettes de porc et crevettes.

Les plats végétariens

Déjà vantée sous les Song (960-1279), la cuisine végétarienne chinoise a connu un grand essor pendant les dynasties Qing et Ming (1368-1911) où elle comprenait trois écoles : les recettes de monastère, les recettes de cour et les recettes populaires. Riche en goût, nourrissante et digeste, elle a la réputation de prévenir le cancer. Ses principaux ingrédients incluent les légumes verts, les fruits, les champignons et le tofu. Des huiles végétales parfumées font souvent office de condiment.

Les boissons

De couleur jaune, le vin de riz se boit tiédi dans de petites tasses en porcelaine. Son goût évoque le xérès. Considéré comme le meilleur alcool chinois, le *maotai*, distillé à partir de sorgho, se révèle nettement plus redoutable. Il existe aussi de nombreuses bières locales, dont la Tsing Tao, la plus connue à l'étranger. Le choix de vins ne cesse d'augmenter et la qualité s'est beaucoup améliorée depuis l'intervention d'œnologues français.

Du côté des boissons sans alcool, les fruits tropicaux cultivés dans le Sud servent à la confection de jus délicieux. Eau minérale et sodas sont disponibles partout.

Le thé

Les Chinois boivent de grandes quantités de thé et ils n'y mettent ni sucre ni lait ni citron. Ils en sirotent constamment au travail et en réunion. Même s'il tient une moins grande place au restaurant et lors des repas avec des invités, il y en a toujours. Il est généralement servi dans de grandes tasses dotées d'un couvercle pour le garder chaud. Sachets et passoires sont inconnus et réussir à ne pas avaler de pleines bouchées de feuilles demande de la concentration. Essayez de vous servir du couvercle pour les retenir.

Les thés verts, noirs, blancs et Wu Long doivent leurs différences à leurs modes de fermentation. Chaque variété a ses grands crus : le Long Jing et le Bi Luo Chun pour le thé vert, le Keemun et le Yung Feng pour le thé noir, le Bai Hao Yin Zhen, le Gong Mei et le Shou Mei pour le thé blanc et le Da Hong Pao et le Tie Guan Yin pour le Wu Long. Le thé parfumé le plus apprécié est le thé au jasmin. Les thés les plus recherchés font des cadeaux très appréciés (et coûteux).

Les maisons de thé

Ces établissements typiques étaient jadis des lieux de rencontre hautement appréciés des lettrés, qui pouvaient y rester des heures à discuter ou écrire des poèmes. Les considérant comme des vestiges décadents de la société féodale, les communistes les firent fermer après guerre. Ils redeviennent très en vogue depuis la fin des années 1990, car les citadins dont la semaine de travail s'est réduite à cinq jours accordent une importance nouvelle aux loisirs.

La plupart des maisons de thé occupent des sites paisibles dans des cadres privilégiés, souvent près des lacs. Tous partagent un trait commun : le calme, une denrée rare en Chine. Les conversations s'y déroulent à voix basse et rien ne vient troubler la sérénité en dehors de la musique jouée sur le zheng, une cithare sur table qui compte 21 ou 25 cordes.

Découvrir la Chine

Circuler

Pour un visiteur étranger, la Chine offre un espace de découverte presque infini et fascinant. Trains et avions permettent de circuler relativement facilement d'un point à l'autre de ce vaste pays, quand les trajets en bus sont plus aléatoires. En ville ou pour parcourir de petites distances, la marche ou la bicyclette sont idéales.

En avion

Dans un pays aussi vaste que la Chine, il n'existe pas de moyen plus rapide de couvrir de longues distances que la voie des airs. La période où la sécurité des lignes intérieures laissait à désirer est révolue, mais préparez-vous à de longs retards inexpliqués. Le prix des billets rend ce mode de transport plus coûteux que le train.

En train

La Chine possède un réseau ferré de plus de 50 000 km et il offre à ses habitants le moyen le plus accessible de circuler dans leur immense pays. Ils l'utilisent au maximum de ses capacités, en particulier pendant les périodes de fête, où les familles se rassemblent. En conséquence, mieux vaut acheter son billet le plus tôt possible. Il n'est valable que pour un seul train. Il ne faut donc pas le rater. Ne comptez pas sur un retard, les trains chinois partent et arrivent à l'heure. En revanche, ils ne roulent pas vite. Même en « express », les trajets sont longs. Ils permettent toutefois des rencontres bien plus intéressantes qu'un déplacement en avion.

Les voyageurs ont le choix entre une classe « molle » et une classe « dure ». Les banquettes molles sont très confortables et bénéficient de la climatisation, à l'instar des couchettes « molles », réparties en compartiments de quatre. Les couchettes « dures » se serrent à six dans des sortes de dortoirs dépourvus de porte. Elles ne sont pas inconfortables mais manquent complètement d'intimité. Surpeuplées selon les standards occidentaux, les voitures aux sièges durs offrent une immersion irremplaçable dans la vie quotidienne chinoise, mais les conditions de voyage sont éprouvantes. Dans la mesure du possible, on leur préférera les couchettes molles si on doit entreprendre un trajet de plusieurs heures.

Pour vos voyages en train

Le site (en anglais) www.travelchinaguide.com/china-trains donne tous les horaires des trains et permet aussi de connaître la durée du voyage. Les trains chinois étant généralement ponctuels, ce service vous aide à organiser vos déplacements et faire les réservations éventuelles pour vos différentes correspondances.

Il n'existe pas d'espaces non-fumeurs et les Chinois allument cigarette sur cigarette pour passer le temps en voyage. Il leur arrive même de fumer dans leur couchette au beau milieu de la nuit, quand leurs voisins essaient de dormir. De toute façon, trouver le sommeil est difficile, car tout le monde ronfle. Et si vous avez déjà partagé la chambre d'un ronfleur, vous pouvez imaginer ce que donne un wagon complet. Les minces et rêches couvertures fournies aux occupants des couchettes dures abritent parfois de curieux insectes. Évitez ces désagréments en apportant votre propre couverture et un insecticide.

Signalons enfin que le TGV a fait une entrée remarquée en Chine depuis 2008, avec l'ouverture de la ligne Pékin-Tianjin. D'ici 2020, le pays devrait posséder 16 000 km de voies à grande vitesse. Dès 2012, le trajet Pékin-Shangai (1 320 km) ne devrait pas excéder 4 heures, contre 10 aujourd'hui sur le réseau express classique.

En autocar

Les autocars les plus luxueux effectuant des trajets sur de longues distances possèdent des sièges inclinables ou des couchettes, mais ce moyen de transport reste très inconfortable, surtout si vous emportez beaucoup de bagages. Il vous expose en outre aux risques liés au mauvais état des routes et des véhicules.

Des minibus assurent aussi les liaisons entre les villes proches. Ils ont en général une capacité de 35 places et partent quand ils sont pleins.

En bateau

Dans les bateaux aussi, mieux vaut apprécier la foule. Les formules les plus agréables comprennent des croisières sur le Yangzi, célèbre pour ses Trois Gorges, sur le Grand Canal, entre Canton et Wuzhou, et sur le Li Jiang qui traverse un somptueux paysage karstique.

À pied

Se promener en ville est un plaisir. Dans les rues animées, vous ne manquez jamais de curiosités à regarder… ni de gens qui vous regardent avec curiosité. Rien d'étonnant : vous avez les yeux ronds, de drôles de cheveux, un grand nez et un corps à la forme bizarre. L'attention n'a rien d'hostile et, si vous y répondez par un sourire amical, vous obtiendrez un sourire ravi. Si vous souhaitez partir à la découverte de la nature, optez plutôt pour les montagnes et les forêts de bambous du Sud-Ouest. Des chemins balisés les sillonnent et vous pouvez faire étape dans de vieux monastères bouddhistes et de petites auberges traditionnelles.

À bicyclette

Dans les villes et les zones rurales les plus plates, louer un vélo est un des moyens les plus pratiques et les plus agréables pour se déplacer. Vérifiez aussi son état de fonctionnement. Vous ne tenez pas à découvrir en cours de route que vous ne pouvez pas compter sur les freins pour vous arrêter ou qu'une pédale était insuffisamment vissée. Vous trouverez facilement des lieux de stationne-

Le pourboire n'est plus un tabou

Le pourboire était jadis expressément interdit en République populaire et personne n'en acceptait. L'habitude commence aujourd'hui à se répandre, mais elle devrait être réservée à la récompense d'un service d'une qualité exceptionnelle. Un chauffeur de taxi ne refusera pas que vous arrondissiez la course, mais il ne s'agit pas d'un geste attendu. Si l'organisme avec lequel vous voyagez vous alloue un chauffeur, offrez-lui des cigarettes, cela lui fera plaisir. Comme la personne qui vous a en charge veillera aussi à ce que ses repas et ses temps de repos soient assurés, vous n'avez pas à vous soucier de son bien-être.

ment peu coûteux où laisser votre bicyclette sous la surveillance d'un gardien. Mais assurez-vous qu'il est équipé d'un solide antivol. Qu'il ait un numéro d'enregistrement à l'égal d'un véhicule motorisé ne le prémunit pas du vol.

En taxi

Autre évolution récente et bienvenue, les taxis sont nombreux dans la plupart des villes, et ils sont contrôlés et équipés d'un taximètre. Cependant, très peu de chauffeurs parlent anglais. Il est donc recommandé d'avoir l'adresse écrite en chinois. À l'hôtel, demandez à la réception de vous rendre ce service. Il peut arriver que le conducteur refuse de vous accepter dans son véhicule. Si cela se produit, il ne rime à rien de discuter. Mieux vaut le prendre avec philosophie, comme beaucoup de choses en Chine qui diffèrent de ce qui nous semble normal. Une fois à bord, assurez-vous que le chauffeur déclenche le taximètre et n'oubliez pas de boucler la ceinture de sécurité. Attention, les conditions de circulation risquent de mettre vos nerfs à l'épreuve, surtout si vous êtes assis devant. Les accidents de voiture sont très fréquents.

Les personnes handicapées

Paralysé par une fracture de la colonne vertébrale après avoir été défenestré par des gardes rouges pendant la Révolution culturelle, Deng Puang, le fils aîné de Deng Xiaoping, a consacré sa vie à améliorer le sort des handicapés en Chine. Mais si les attitudes évoluent, les équipements continuent à manquer. Bus et trains restent inaccessibles en fauteuil roulant, et il n'existe pratiquement pas de toilettes adaptées. En revanche, des rampes permettent d'atteindre beaucoup de boutiques et immeubles de bureaux, car les livraisons continuent d'y être effectuées en chariot ou à vélo.

Les formalités

Les visiteurs souhaitant voyager par leurs propres moyens peuvent obtenir un visa touristique d'un mois auprès des consulats de la République populaire de Chine ou de tout autre organisme agréé par le ministère des Affaires étrangères. Attention à ne pas le prendre trop tôt, car vous devez entrer dans le pays dans les 30 jours suivant son obtention. Il est possible d'obtenir sur place une prolongation (jusqu'à 60 jours) en s'adressant au service des étrangers de n'importe quel commissariat. La démarche doit être effectuée avant l'expiration du visa et la date de validité du passeport doit dépasser d'au moins 6 mois la date de retour.

Aucun visa n'est nécessaire pour un séjour touristique de moins de 90 jours à Hong Kong. Y obtenir un visa pour la Chine continentale est relativement rapide.

Un visa « affaires » est obligatoire pour un déplacement professionnel. Une invitation par une société ou un partenaire chinois compte parmi les pièces à fournir. Contourner cette contrainte avec un visa touristique peut conduire à des problèmes. Une autre option consiste à confier à China Travel Service le soin d'organiser son voyage. CTS se chargera de toutes les démarches, mais vous serez contraint par un programme laissant peu de place à l'improvisation.

Se rendre au Tibet

Son accès aux visiteurs étrangers est limité à des groupes encadrés par une agence de voyages et dont le visa collectif a reçu l'autorisation du bureau du tourisme de la Région autonome du Tibet. Attention, si vous prenez l'avion pour vous y rendre : vous risquez de connaître le sort de ce journaliste cloué au lit par le mal des montagnes pendant trois des quatre jours que lui accordait son visa. La voie terrestre est plus sûre. Lhassa, la capitale, n'est qu'à 3 683 mètres d'altitude, mais le corps humain a besoin de temps pour s'adapter à la raréfaction de l'oxygène.

« Zones sensibles »

Les détenteurs d'un visa touristique sont tenus de passer par des points d'entrée officiellement déclarés comme ouverts aux étrangers. Bien qu'il soit aujourd'hui possible de circuler librement dans la majeure partie du pays, il reste quelques endroits dont l'accès est limité. Il s'agit principalement de régions frontalières où s'expriment des tensions autonomistes. Il est recommandé de se renseigner avant de s'y risquer. Des voyageurs y ont déjà été arrêtés, soumis à interrogatoire et, pour certains, expulsés. Les autorités traquent notamment les journalistes prenant un visa touristique pour éviter la surveillance lorsqu'ils se rendent dans des zones stratégiques comme le Tibet.

L'argent

L'époque où les étrangers devaient utiliser comme mode de paiement des Foreign Exchange Certificates (surnommés « monnaie de singe ») s'est achevée en 1996. Toutes les transactions ont lieu aujourd'hui en *renminbi* (« monnaie du peuple »), également appelés *yuan*, nom plus utilisé à l'étranger. Il reste encore impossible d'en acheter hors de Chine, mais vous pourrez échanger des devises à votre arrivée à l'aéroport, dans des banques en ville et à l'hôtel. Les taux sont partout identiques. Prenez soin de garder les reçus pour revendre vos yuans en quittant le pays, encore que sur ce point aussi la réglementation se soit assouplie.

Prendre des photos

Les visites des temples, palais et musées ne s'accompagnent pas de précautions particulières. La politesse impose néanmoins de demander l'autorisation avant de photographier quelqu'un. Il en résultera peut-être la demande d'une petite somme d'argent. Dans les temples, faites preuve de discrétion et évitez de déranger les fidèles en train de se recueillir. Ne braquez jamais votre appareil sur des policiers ou des soldats gardant un bâtiment officiel, et ne mitraillez pas n'importe quoi à l'aéroport. Vous pouvez vous laisser aller dans les gares, surtout si vous aimez les locomotives à vapeur.

L'offre en distributeurs de billets est en pleine expansion, mais ils restent moins fréquents qu'en Europe. Tapez votre code secret à l'abri des regards et évitez les petits retraits, car une commission forfaitaire est perçue pour chaque transaction. Les chèques de voyage sont le moyen le plus sûr de transporter de l'argent. Vous pourrez les encaisser dans les agences de la Bank of China et les grands hôtels.

Les billets existent en coupures de 1, 2, 5, 10, 50 et 100 yuans (1 yuan vaut environ 9 centimes d'euro). Le fen vaut un centième de yuan. Il existe des pièces de 1, 2, 5 et 10 fens. Les Chinois ont l'habitude d'appeler *jiao* ou *mao* les pièces de 10 fens.

Si un changeur au noir vous accoste, sachez qu'un problème avec les autorités n'est pas le seul risque que vous courrez en vous laissant tenter. De nombreux faux

USAGES ET COUTUMES en Chine

114

billets de 50 et 100 yuans circulent. De plus en plus nombreux dans des villes où se pressent des chômeurs désespérés, les pickpockets comptent aussi parmi les petits délinquants dont vous devez vous méfier. La criminalité demeure néanmoins très basse et beaucoup d'étrangers affirment se sentir plus en sécurité en Chine que dans leur pays d'origine. Il suffit de rester prudent.

Faire des achats

Le shopping n'est plus en Chine une simple activité de loisir, il a été élevé au rang de devoir patriotique. La libéralisation du marché et les partenariats avec de grandes enseignes commerciales ont élargi les possibilités de le pratiquer. Autrefois désert de la consommation, le pays se transforme en paradis des accros du shopping. Dans les grandes villes, les magasins restent habituellement ouverts de 9 h à 21 h. À Shanghai, ils ferment généralement à 22 h.

Les marchés en plein air offrent un cadre merveilleux où flâner, et le marchandage est de rigueur. En règle générale, le premier prix annoncé représente globalement le triple du prix attendu. Il règne une telle concurrence que, même dans les boutiques – où en théorie les prix sont fixes –, vous avez souvent de la marge pour discuter. Les clients chinois sont des acheteurs avisés et, pour des oreilles occidentales, ils paraissent même « agressifs ». Mais le personnel de vente a la peau dure, contrairement aux employés léthargiques des commerces d'État de

Acheter des antiquités

À moins d'avoir des connaissances d'expert, l'acquisition d'antiquités est une opération risquée. Mais les copies, vendues entre autres sur les marchés, ne manquent pas d'intérêt. La Chine a perdu beaucoup de traces de son passé et tient à préserver celles qui lui restent. L'exportation d'objets datant d'avant 1795 est interdite et les pièces plus récentes doivent porter un cachet officiel pour sortir du territoire. Conservez la facture. Hong Kong, où beaucoup de familles se sont réfugiées avec leurs biens dans les années 1930 et 1940, offre un plus large choix.

jadis. Il s'agit souvent d'astucieuses jeunes vendeuses (les hommes ne leur arrivent pas à la cheville pour la persévérance…). Issues des régions les plus pauvres du pays, elles se montreront insistantes, mais jamais agressives. Elles connaissent assez d'anglais pour parler aux clients étrangers, mais aussi un peu de russe, de français et d'allemand.

En très peu de temps, la Chine où il n'y avait presque rien à acheter est devenue le fournisseur de la majorité des vêtements, y compris de marque, vendus dans les boutiques occidentales. Ses usines fabriquent aussi pour le marché mondial des chapeaux, de la lingerie, des bijoux, des accessoires de mode, des sacs à dos, du mobilier, des lampes, des appareils photo et caméscopes, des ordinateurs, des téléphones portables et des téléviseurs. Un sac supplémentaire pour rapporter vos achats chez vous risque vite de ne pas suffire. Peut-être vous faudra-t-il une camionnette !

À côté de la production de masse des articles destinés aux marchés occidentaux et japonais, la Chine conserve un artisanat qui entretient de très anciennes traditions. Sculptures sur pierre et sur bois, poteries et porcelaines, broderies, verrerie, tissages, soieries, teintures, gravures et belles répliques d'antiquités restent fabriqués à la main.

Les tapis chinois jouissent d'une réputation internationale. Les arts populaires font aussi d'excellents souvenirs tels que patchworks et papiers découpés créés par des paysannes chinoises.

La vie nocturne

Petites ou grandes, les villes chinoises s'éteignaient autrefois pesamment vers 20 h. Aujourd'hui, elles ne s'endorment plus. Le choix de distractions et d'activités de loisir ne cesse de s'étendre. À côté des cinémas, théâtres et restaurants, les clubs de karaoké, cybercafés, bars et boîtes de nuit de tous ordres ne demandent qu'à vous aider à dépenser votre argent. Ces établissements abritent souvent des « hôtesses » aussi bien chinoises qu'occidentales, dont beaucoup de jeunes Russes. Le puritanisme hérité de l'ère de Mao Zedong n'a plus cours et elles se reconnaissent à leur maquillage outrancier et à leurs tenues provocatrices. Une autre contrainte du passé est également passée de mode : l'obligation pour les Chinois et les étrangers de s'asseoir au restaurant dans des zones différentes, de dormir dans des hôtels différents, de faire des achats dans des magasins différents, de payer des prix différents, etc. Curieusement, ce fut sans doute l'ouverture à Pékin du plus grand McDonald's du monde, dans les années 1990, qui a précipité l'abandon de la ségrégation dans les restaurants. Les autorités n'avaient aucun moyen de la faire appliquer dans un fast-food.

Cinéma, concerts et spectacles

Les salles diffusent des films étrangers, mais rarement en version originale. Les places sont bon marché. Depuis les années 1980, des réalisateurs chinois comme Chen Kaige, Zhang Yimou et Wong Kar-Wai ont remporté prix et éloges dans les festivals internationaux avec des films comme *Adieu ma concubine* (1993), *Le Sorgho rouge* (1987) et *In the Mood for Love* (2000). En dépit d'images magnifiques, notamment dans la campagne chinoise, leur cinéma – où l'action ne domine pas et où s'exprime une subtile critique sociale – connaît moins de succès dans leur propre pays.

Les grandes villes accueillent aussi des ballets et des concerts allant du rock au classique, ainsi que des expositions d'art et des rencontres sportives. Les billets sont très bon marché par rapport à l'Europe. Les magazines de langue anglaise offrent la meilleure source d'informations. En dehors des grandes agglomérations, le choix se révèle plus restreint.

L'opéra de Pékin

Forme de spectacle sans équivalent, l'opéra de Pékin est né au XVIIIᵉ siècle et continue d'être très populaire en Chine. Les récits s'inspirent d'événements historiques et de classiques de la littérature. Les acteurs portent des costumes élaborés et des maquillages symboliques. Ils se livrent à de gracieuses acrobaties inspirées des arts martiaux. La musique peut paraître discordante à des oreilles occidentales (les voix de femme, en particulier, sont très aiguës), mais il serait dommage de ne pas assister à une représentation de ce « théâtre complet ». Ce qui se passe dans la salle est presque aussi intéressant que l'action sur scène. Pratiquement tous les membres du public connaissent par cœur le déroulement du récit et la musique. Ils se sentent donc libres de se promener, de bavarder à haute voix ou de s'acheter à manger. Ils créent une ambiance très différente de l'atmosphère compassée et presque religieuse qu'inspirent les opéras européens.

Si la Chine est considérée comme le lieu de naissance du théâtre d'ombres, il est devenu difficile de découvrir cet art subtil menacé de disparition. Dans le district de Huanxian, dans la province du Gansu (au nord-ouest de la Chine), des fermiers tentent de maintenir cette tradition vivante et plusieurs troupes d'amateurs ont été reconstituées depuis quelques années.

Santé et bien-être

Si vous tombez malade en Chine, le personnel de votre hôtel devrait pouvoir vous obtenir rapidement une consultation auprès d'un médecin. Elle risque d'avoir lieu à l'hôpital local, parce qu'il n'existe pas l'équivalent de nos généralistes. Les Chinois se considérant comme vos hôtes tant que vous vous trouvez dans leur pays, un étranger malade dont ils ont la responsabilité devient pour eux un énorme souci. Ils feront tout leur possible pour s'assurer que vous êtes bien soigné.

À condition de respecter des précautions élémentaires, comme éviter de boire de l'eau non stérile ou acheter des aliments douteux à des vendeurs de rue, un voyage en Chine entraîne peu de risques sanitaires. L'encéphalite japonaise y est endémique, mais il existe un vaccin efficace. Il n'est en général recommandé que pour les séjours prolongés en zone rurale, le virus ayant pour vecteur des moustiques qui ne sévissent pas en ville. Leur période d'activité s'étend d'avril à octobre.

L'hépatite B compte parmi les autres maladies infectieuses dont il faut se protéger. Un tiers des cas de contamination mondiaux se produisent en Chine continentale.

Les autorités ont pris conscience du problème posé par la propagation du Sida depuis le premier cas rapporté en 1985. Aucune restriction ne concerne les courtes visites, mais tout étranger souhaitant venir travailler en Chine pour une organisation chinoise doit passer un test de dépistage pour obtenir son visa.

La qualité des infrastructures sanitaires varie d'un lieu à un autre. Mieux vaut se munir des médicaments ou produits pharmaceutiques dont on risque d'avoir besoin. Comme les aiguilles hypodermiques sont souvent réutilisées, il est recommandé de disposer de ses propres aiguilles jetables si l'on craint de devoir subir une injection. Les Chinois y ont recours même pour les maux les plus bénins. Il est toutefois toujours possible d'exiger une autre forme de traitement.

Parfois, des médicaments sur ordonnance devenus obsolètes en Occident réapparaissent dans d'étranges endroits ou servent à soigner d'autres troubles que ceux

Des précautions faciles à prendre

Les troubles intestinaux comptent parmi les risques sanitaires les plus courants pour un visiteur étranger. Risque en fait assez limité, à condition d'observer la prudence des Chinois, qui évitent les crudités, pèlent les fruits et boivent de l'eau bouillie. Dans les restaurants populaires, ils n'hésitent pas non plus à essuyer bols, verres et baguettes (mais la plupart sont jetables). Évitez toutefois les petites échoppes des marchés, car les aliments y sont rarement conservés au réfrigérateur.

pour lesquels ils ont été développés. Un étranger souffrant d'asthme s'est ainsi vu prescrire du Valium® alors qu'il s'agit d'un tranquillisant.

Les ambassades offrent une bonne source d'aide et de renseignements. Il existe aussi à Pékin, Canton et Shanghai des cliniques réservées aux étrangers. Si vous avez un accident, essayez d'obtenir d'un taxi qu'il vous conduise à l'hôpital normal. Dans le climat actuel de foire d'empoigne commerciale, impossible de savoir ce qui risque de se produire. Un étranger qui s'était cassé la jambe avait appelé la police au secours. Il s'est retrouvé dans un hôpital militaire, où le personnel, après la pose de son plâtre, a essayé de lui extorquer 10 000 renminbis, soit environ cent fois la somme normale pour ce type d'intervention.

Vérifiez avant le départ la couverture offerte par vos diverses assurances ou votre carte bancaire en cas de problème de santé à l'étranger. Les soins ne sont pas gratuits en Chine. Si vous avez un doute, l'option la plus prudente consiste à souscrire une assurance-voyage prévoyant un éventuel rapatriement.

La médecine traditionnelle

Pour les Chinois, le corps est un cosmos en miniature, régi comme le reste de l'univers par les forces du *yin* et du *yang*. Santé ou maladie sont le reflet d'une harmonie ou d'une dysharmonie dans le flux du *qi* (ou énergie vitale) au sein de l'organisme.

Il existe plusieurs modes traditionnels de soin. L'acupuncture et l'utilisation d'herbes médicinales sont les deux plus connus hors du pays. Si le choix vous est offert entre médecine occidentale et médecine chinoise, ne vous tournez pas automatiquement vers la première.

L'acupuncture, en particulier, se révèle efficace dans de nombreux cas. Assurez-vous toutefois que les aiguilles sont stériles. Pratiquée depuis au moins 2 000 ans, elle vise à rendre au flux du *qi* son harmonie, condition d'une bonne santé. Si des symptômes apparaissent, c'est que ce flux est trop faible ou trop puissant, ou entravé d'une manière ou d'une autre. Le traitement passe par l'implantation de fines aiguilles inoxydables en des points spécifiques des méridiens que les diverses énergies de l'organisme sont censées suivre. Ces aiguilles peuvent aussi être mises en vibration par une brève application d'un courant électrique. Les domaines où cette thérapie se révèle la plus efficace comprennent les douleurs chroniques, les rhumatismes et le gonflement des articulations.

Les personnes qui ne souhaitent pas se faire piquer peuvent se tourner vers la pose de graines de moutarde sur certains points de l'oreille, avec un emplâtre adhésif. Les presser trois fois par jour pendant quelques secondes aurait un effet aussi bénéfique que l'acupuncture.

Certains praticiens utilisent aussi la moxibustion, technique thérapeutique qui consiste à chauffer des points d'acupuncture avec de petits cônes ou un cigare d'armoise *(moxa)*. Cet échauffement est maîtrisé pour rester en dessous du seuil de douleur.

Le qigong ou l'art de prendre soin de soi

Si vous vous promenez aux premières lueurs du jour dans n'importe quelle ville de la République populaire, vous y verrez des files de personnes d'âge mûr absorbées dans le lent, subtil et silencieux ballet des enchaînements de postures du *qigong*. Cette forme ancienne de maîtrise de la respiration est à la fois une méditation en mouvement et le fondement spirituel des arts martiaux chinois.

Comme nous l'avons vu, le mot *qi* désigne la force vitale. Le *qigong* est une gymnastique qui associe le mouvement, la respiration et la visualisation afin d'utiliser le flux d'énergie entourant le corps, dans l'intérêt physique et psychologique du pratiquant. Dans la culture traditionnelle chinoise, la prévention est particulièrement encouragée dans le domaine de la santé, ce qui explique l'importance accordée à toute discipline permettant d'entretenir l'énergie vitale.

La phytothérapie, ou l'art de soigner par les plantes, connaît également une grande popularité dans tout le monde chinois. Même en Occident, il vous est peut-être arrivé de tomber sur une de ces herboristeries chinoises pleines de petits tiroirs remplis d'ingrédients végétaux ésotériques, mais également d'origine animale et minérale, qui entrent dans la composition des remèdes traditionnels. Il s'agit en général de décoctions au goût exécrable, obtenues en mettant longuement à bouillir de subtils mélanges.

Le diagnostic repose pour une grande part sur la palpation du pouls du patient. Cet examen est toutefois plus approfondi que celui auquel nous sommes habitués. Il

USAGES ET COUTUMES en Chine

est effectué à trois endroits et trois niveaux différents sur chaque poignet. Pour la médecine traditionnelle chinoise, il existe vingt-sept types de pouls, classés en quatre catégories. La vitesse du rythme cardiaque n'est pas mesurée en battements par minute, mais en battements par cycle respiratoire.

Croyances à propos de la santé

Tout en étant à l'aise avec le caractère inexorable de la mort, les Chinois accordent une grande valeur à divers aliments, symboles et rituels liés à la prolongation de l'existence. Des figures animales comptent parmi ces symboles, notamment le cerf, souvent représenté en monture du dieu de la Longévité. La grue, dépeinte en position de vol, ailes ouvertes et pattes repliées, participe aux funérailles. C'est elle qui emporte le défunt aux cieux. Le *feng shui* considère qu'une tortue dans la maison favorise longévité et prospérité. La pêche, fruit d'immortalité, apparaît souvent dans l'art populaire, dessinée avec une rondeur parfaite. Il existe aussi des nouilles spéciales pour les anniversaires. Plus étirées et plus fines, elles évoquent une longue vie.

Des propriétés thérapeutiques sont attribuées à de nombreuses préparations culinaires. La soupe d'aileron de requin, par exemple, est censée protéger du cancer. À pratiquement chaque maladie correspond une longue liste d'aliments bénéfiques que sa famille préparera au malade pour l'aider à se rétablir. Certaines recettes peuvent paraître étranges. Ainsi, un moyen d'apaiser les maux de tête consiste à s'appliquer sur le front de fines tranches de gingembre chauffées à la flamme. Mais ces traitements semblent efficaces sur les gens qui y croient. Et ils font l'objet d'études sérieuses en Occident. En tout état de cause, il est remarquable que les Chinois aient su conserver leur médecine traditionnelle alors que son équivalent occidental a été presque totalement perdu au profit d'une dépendance de plus en plus marquée aux médicaments allopathiques.

Aux toilettes

La plupart des Occidentaux qui séjournent en Chine résident dans des hôtels où les installations sanitaires ressemblent à celles qu'ils connaissent chez eux. Il leur est toutefois difficile d'éviter de se retrouver confrontés à des toilettes à la chinoise lorsqu'ils sont en excursion, en visite professionnelle ou répondent à une invitation chez des particuliers.

Les toilettes à la chinoise rappellent ce que nous appelons des W.C. à la turque : il faut s'y accroupir. Il n'y a généralement pas de papier et mieux vaut en avoir toujours avec soi. S'il y en a, il est le plus souvent requis de ne pas le jeter dans le trou après usage, mais de s'en débarrasser en le déposant dans un récipient destiné à cet effet. Cette exigence n'a pas pour unique cause des systèmes d'assainissement limités. Les Chinois continuent d'utiliser les excréments humains comme engrais et n'ont aucune envie de les étaler dans leurs champs mélangés à du papier. En conséquence, il règne dans les toilettes publiques une odeur qui n'incite pas à s'y attarder. Souvent, il n'est pas non plus possible de s'y laver les mains et le mieux est d'avoir des lingettes ou une petite bouteille d'eau.

Une autre surprise attend le voyageur, et plus encore la voyageuse, dans les endroits les plus pauvres. Souvent les toilettes n'y ont pas de porte et tout espoir d'intimité y est d'autant plus exclu que les Chinois et les Chinoises n'en voient pas l'intérêt. Dans les zones rurales les plus reculées, où les étrangers restent une nouveauté, vous risquez d'attirer un public très intéressé.

Assister à un banquet

Tout responsable en déplacement d'affaires, ou toute personne bénéficiant d'un accueil particulier, étudiant en échange universitaire, diplomate, cinéaste, professeur ou Chinois d'outre-mer revenant sur la terre de ses ancêtres, doit se préparer à assister à un banquet. Et il lui sera sans doute délicat de ne pas rendre la pareille. Si vos hôtes projettent de se rendre dans votre pays, le plus approprié consistera probablement à retourner l'invitation à ce moment-là.

Comment être un bon invité

Le banquet compte parmi les rares occasions en Chine où la connaissance du protocole fait vraiment la différence. Tout le monde semble y tenir un rôle précis et connaître le vôtre vous sera très utile. Si le banquet a lieu le soir, vous devrez sans doute prévoir une tenue habillée. Sachez aussi que les rapports seront très formalistes. Usage qui peut prendre un Européen au dépourvu, la conversation n'a souvent lieu qu'entre le plus haut responsable de l'institution invitante et son homologue invité. Tous les autres convives à la position moins élevée auront tendance à manger en silence, et ce malgré les efforts bien intentionnés des étrangers cherchant à briser la glace. Ne soyez pas surpris que vos interlocuteurs se montrent trop timides pour se mettre à bavarder. C'est encore pire quand préside un homme politique de haut rang. Les personnes qui l'accompagnent le laisseront monologuer sans exprimer autre chose que leur approbation. La situation n'est pas toujours facile pour l'Occidental qui se retrouve seul à donner la réplique.

Le plan de table

Le principal hôte chinois, généralement assis face à la porte, attribuera à l'invité le plus éminent la place d'honneur, à sa droite. À l'autre bout de la table, l'hôte de rang suivant aura à sa droite l'invité de rang suivant. S'il y a un interprète, il ou elle sera normalement à la droite de l'invité le plus important. Les autres convives seront disposés en fonction de leur âge et de leur statut, en essayant d'alterner hôtes et invités.

En vous asseyant, vous avez peu de chance de découvrir un couteau et une fourchette devant vous. Si vous avez un peu d'entraînement au maniement des baguettes, vous ne le regretterez pas. Très peu d'étrangers réussissent à le maîtriser et se faire expliquer ce tour de main peut constituer une bonne entrée en matière.

Le repas

Ne vous précipitez pas sur les premiers plats pour vous rassasier. Jusqu'à une douzaine de plats, ou plus, peuvent se succéder à un banquet. Dans le Nord, la soupe est souvent servie à la fin du repas, qui commence d'habitude par des hors-d'œuvre froids. Dans le Sud, c'est plutôt le premier mets. Les Chinois ne mangent pas de dessert, mais on vous proposera peut-être des fruits frais. Si du riz est inscrit au menu, il apparaîtra sur la table vers la fin du repas. Il est considéré comme un « remplisseur » destiné à s'assurer que les invités sont rassasiés. La politesse exige donc de laisser un peu de nourriture dans son bol pour montrer que l'on n'a plus besoin de rien.

Observez comment s'y prennent les Chinois pour se servir dans le plat commun. Ils prendront peut-être une cuillère prévue à cet effet, mais il est plus courant d'utiliser ses propres baguettes. Il peut aussi y avoir des « baguettes communes » *(gong kuaize)* réservées au service.

Ne vous montrez pas surpris que votre hôte soit constamment en train de placer les morceaux de choix sur votre assiette. C'est un hommage. Pour se servir lui-même, l'invité se doit d'attendre d'y être instamment prié. Si l'on vous remet avant le repas une serviette humide pour vous essuyer les mains, vous pouvez l'utiliser jusqu'à la fin comme serviette de table. Pour retirer quelque chose de votre bouche, ne le récupérez pas avec vos doigts mais avec vos baguettes ou votre cuillère en porcelaine. Les Chinois le cracheront sur une soucoupe, ce qui rend ce moyen également acceptable pour vous. Qu'il renferme soupe ou riz, approcher votre bol de vos lèvres n'a rien d'impoli et rend beaucoup moins aléatoire l'arrivée de son contenu à bon port.

Le service des alcools

Les Chinois ne sont pas de gros buveurs et ils ont tendance à ne pas consommer d'alcool sans manger. Dans les banquets, l'alcool joue cependant un rôle essentiel car il sert à porter des toasts. Vous trouverez probablement trois verres à côté de votre assiette. Le premier est destiné à la bière blonde et peu alcoolisée qui accompagne couramment les repas. Le deuxième recevra du vin, soit de type vermouth, soit l'un des crus locaux plutôt doux. Dans le petit vous sera versé un breuvage plus corsé comme le *maotai*, une eau-de-vie de sorgho à 65°. Vous

Santé !

À la fin de son toast, celui qui l'a porté conclut par « Santé ! ». L'équivalent chinois, *« Ganbei ! »*, signifie littéralement « verres secs ». Sur ce point, mieux vaut rester prudent, parce qu'un certain nombre d'autres toasts risquent de suivre. Néanmoins, la consommation de grandes quantités d'alcool aux banquets et autres célébrations est officiellement découragée. Les boissons non alcoolisées proposées comprendront de l'eau minérale, du thé vert et des sodas.

verrez souvent les Chinois vider d'un trait leurs verres lors des toasts, mais il s'agit de tout petits verres.

Prononcer des discours et porter des toasts

Les discours s'achèvent invariablement par un toast porté à l'autre partie. En général, ils sont prononcés assez tôt dans le repas. L'hôte prendra probablement la parole entre le premier et le deuxième plat, et le chef des invités lui répondra quelques minutes plus tard, après l'arrivée du deuxième plat. Pour savoir quoi dire, inspirez-vous de votre hôte et restez bref et anodin. Faites quelques commentaires approbateurs sur votre visite, émettez quelques remarques sur les espoirs de future coopération, évoquez les liens d'amitié entre vos entreprises ou institutions, etc. Surtout, évitez les plaisanteries compliquées. Le plus souvent, elles sont intraduisibles ou perdent tout leur sel une fois retranscrites.

Serrez la main de tout le monde. Échangez des cartes de visite avec toutes les personnes que vous n'avez pas encore rencontrées. Si vous avez apporté des cadeaux, attendez la fin du repas pour les remettre.

Un journaliste canadien rapporte une anecdote survenue lors d'un grand banquet auquel il assistait dans le palais de l'Assemblée du peuple. Dans son discours, un diplomate en visite se lança dans une longue plaisanterie en anglais. Le pauvre interprète, ayant tenté en vain de la traduire, finit par baisser les bras. Il dit simplement en chinois : « L'honoré visiteur étranger a juste raconté une plaisanterie. S'il vous plaît, riez ! » L'assemblée répondit à sa demande et personne ne perdit la face.

Entretenir la conversation

Si l'atmosphère du banquet ne vous semble pas trop compassée, faites l'effort de discuter avec votre hôte chinois plutôt que de passer le temps à bavarder avec vos collègues occidentaux. Briser la glace peut paraître difficile, mais l'effort en vaut la peine. La cuisine et les attraits des différentes régions chinoises sont de bons sujets de conversation. Évitez les sujets à risque, comme la religion, la bureaucratie, la politique, le Tibet, Taïwan ou le sexe. Préférez des sujets légers comme les vacances, le tourisme, les voyages et les projets d'avenir. Vous pouvez aussi parler famille.

Rendre la politesse

Si vous décidez de rendre l'invitation avant votre départ, demandez de l'aide à votre interprète ou à toute personne organisant votre visite. Il vous faudra établir un plan de table et disposer des marque-places. Une réserve de cigarettes étrangères est toujours la bienvenue en de telles occasions. N'oubliez pas qu'en tant qu'hôte vous aurez la tâche de remplir sans cesse l'assiette de votre invité. D'autres personnes de votre entourage peuvent vous imiter avec leurs homologues chinois, en particulier chaque fois qu'un nouveau plat arrive. Vos invités répugneront à se servir eux-mêmes et il y a de fortes chances pour qu'ils refusent plusieurs fois ce que vous leur offrez avant de se sentir en droit d'accepter. Il vous faudra sans cesse insister pour les servir. Que vous soyez hôte ou invité, participer à un banquet en Chine n'est pas de tout repos, mais la fin justifie les moyens…

En voyage d'affaires

En 2001, l'adhésion de la Chine à l'Organisation mondiale du commerce (OMC) a représenté un tournant historique. En 1947, le pays comptait pourtant parmi les fondateurs du GATT (General Agreement on Tariffs and Trade ou Accord général sur les tarifs douaniers et le commerce), ancêtre de l'OMC, mais Chiang Kai-shek l'en avait retiré en 1950. Le pouvoir communiste ne reconnut jamais cette décision, mais attendit 1986 pour demander officiellement à reprendre sa place. Une longue négociation commença.

Seule institution planétaire à réguler les échanges commerciaux entre nations, l'OMC est née d'accords conclus en 1994 par les pays collaborant au sein du GATT, qu'elle a remplacé en 1995. Elle a pour fonction d'aider les gouvernements à résoudre leurs différends afin de faciliter le libre-échange. Les États membres s'engagent à ne pas exercer de discrimination envers les biens, services et investissements des autres États membres. Les droits dont bénéficie un État membre doivent être étendus à tous les autres.

Après avoir privilégié pendant des années l'emploi de membres du parti, portant au monde extérieur un intérêt aussi limité que la connaissance qu'ils en avaient, la Chine a imposé une formation spéciale sur les règles de l'OMC à ses fonctionnaires et aux cadres des entreprises publiques. Et des milliers de représentants de l'État commencent à apprendre l'anglais, car le gouvernement pense qu'il leur sera nécessaire pour faire face à l'augmentation des échanges internationaux.

Pour les autres membres de l'OMC, la Chine représente un immense marché potentiel pour leurs produits comme pour leurs investisseurs. Mais la Chine, qu'en retire-t-elle ? En stabilisant ses relations avec les autres nations, elle s'est elle-même ouvert un vaste marché. Et la pression exercée par la concurrence née de l'ouverture des frontières a accéléré le rythme des réformes. Avec le succès que l'on connaît. Un succès que des partenaires internationaux financent pour une grande part : entre 2001 et 2010, le commerce extérieur chinois est passé de 510 à 2 970 milliards de dollars. Pour près de 50 %, il émane d'entreprises à capitaux étrangers.

La culture des affaires

Les Chinois ont aujourd'hui retrouvé fierté et assurance après que leur pays eut traversé une très longue période de troubles et d'humiliations, entamée au XIXe siècle par son quasi-démantèlement par les puissances coloniales. Les Occidentaux doivent donc faire très attention à leur attitude. Évitez de donner l'impression que vous vous sentez supérieur et n'essayez pas de précipiter les choses. Elles avancent à leur rythme, et il est en général plutôt lent. Les Chinois qui traitent avec des étrangers ont une conscience aiguë de l'attractivité de leur pays pour de potentiels partenaires commerciaux. Ils sont aussi très bien informés des progrès technologiques, des tarifs internationaux et de l'état des marchés mondiaux.

Relations privées et relations d'affaires

Les Chinois ne dressent pas de frontières entre ces deux mondes. Au contraire. Pour eux, c'est une relation humaine étroite et stable qui permet de traiter les affaires en confiance et facilite la compréhension mutuelle dans les transactions. Ils auront donc tendance à vouloir l'établir avant de s'engager. Ce qui peut apparaître à des yeux européens comme une perte de temps ou des mondanités vides de sens s'inscrit dans une démarche essentielle.

Le sens de l'accueil... et de la hiérarchie

Une fois en Chine, c'est sans doute l'entreprise ou l'institution qui vous reçoit qui se chargera de l'organisation de vos déplacements à l'intérieur du pays. Elle enverra très probablement des représentants vous accueillir à l'arrivée. Et tout aussi probablement, vous serez raccompagné lors de votre départ. Vos interlocuteurs au statut le plus élevé viendront sans doute vous dire au revoir à l'hôtel, laissant des subalternes vous escorter jusqu'à l'avion ou le train. Ainsi le veut la coutume et vous devriez la respecter en recevant vos propres invités.

Les Chinois accordent une grande importance au rang de chacun, et il convient de garder en tête que, en groupe, ils entreront dans une pièce par ordre d'importance hiérarchique. Ce qui ne signifie pas que les négociations concrètes seront menées par le plus haut responsable. Ce dernier détient une position où le prestige l'emporte mais pourra avoir pour subordonné une personne formée à l'étranger et diplômée d'une grande école de commerce internationale.

Les salutations

Face à un groupe, prenez soin de serrer la main de tous ses membres. Il est mal vu de se contenter des plus proches. Comme vous le remarquerez, il n'existe pas de tradition de galanterie donnant la préséance aux femmes. Les Chinois inclinent légèrement la tête lors d'une première rencontre, mais ce salut n'est en rien aussi élaboré que dans la culture japonaise.

Les cartes de visite

Une réunion d'affaires commence systématiquement par un échange de cartes de visite. Quand une personne vous remet la sienne, prenez soin de la lire et de ne pas vous contenter d'y jeter un coup d'œil avant de la ranger. Vous trouverez peut-être utile de disposer les cartes que vous avez reçues devant vous sur la table. Elles vous aideront à vous souvenir des noms et titres de vos interlocuteurs.

Disposer d'une solide réserve de cartes de visite compte donc parmi les précautions de base. Pour bien faire, elles devraient comporter une version chinoise de votre nom (voir page 78), de la dénomination de la société que vous représentez et de votre fonction. Si vous passez par Hong Kong, vous pourrez les faire aisément imprimer. En Chine continentale, demandez à la réception de votre hôtel de vous indiquer une adresse fiable.

En choisissant un nom chinois, ne dépassez pas deux ou trois syllabes. Au-delà, il risque de poser problème à vos interlocuteurs. Et n'oubliez pas, en passant commande chez l'imprimeur, que les caractères simplifiés utilisés aujourd'hui en République populaire ne le sont normalement pas à Hong Kong et Taïwan.

Prévoyez aussi un porte-cartes conséquent et doté d'un index pour pouvoir ranger en ordre toutes les cartes de visite que vous allez recevoir.

La tenue vestimentaire

Mieux vaut éviter les tenues décontractées. Le costume et la cravate restent la meilleure solution pour les hommes, quitte à s'en tenir à des versions légères dans le Sud et pendant les mois d'été dans le Nord.

Une femme en pantalon ne choquera pas – la plupart des Chinoises en portent – mais les robes ou les tailleurs passent pour plus élégants. Les jambes nues sont proscrites, même au plus chaud de l'été. Les décolletés plongeants également. Une femme doit se vêtir chastement et ne pas avoir un comportement trop extraverti. Mais brasser de l'air et chercher à attirer l'attention n'est pas bien vu non plus chez les hommes. Comme nous l'avons dit, les banquets peuvent être assez habillés. Prévoyez une tenue vraiment chic. Après des années où elles privilégiaient le fonctionnel, les Chinoises ont retrouvé le goût de la parure et des vêtements traditionnels aux couleurs vives et aux broderies élaborées. À partir de trente-cinq ans, elles ont tendance à préférer davantage de sobriété et des teintes plus sombres.

Les femmes d'affaires

Les femmes d'affaires en déplacement en Chine n'auront pas l'occasion de se sentir mal à l'aise uniquement à cause de leur sexe. La parité homme/femme n'est peut-être pas effective dans tous les domaines et à tous les échelons, mais les membres des deux sexes ont, au moins en théorie, les mêmes opportunités. Et les Chinois ne font pas de distinction dans le cadre des échanges commerciaux.

Les femmes qui se rendent très régulièrement en République populaire pour leur travail déclarent être bien acceptées par leurs homologues masculins. Par exemple, il n'est pas jugé anormal que ce soient elles qui rendent un toast à un banquet.

Bien que les réceptions d'affaires aient principalement lieu au restaurant, les conjoints n'y sont habituellement pas conviés. Si votre compagnon vous accompagne, il devra trouver à s'occuper seul les soirs de banquet ou autre, à moins qu'il ne soit clairement précisé sur l'invitation qu'elle l'inclut.

Joindre vos contacts

Toutes les personnes que vous aurez besoin de joindre auront accès à une messagerie électronique. Jusqu'à une époque récente, le décalage horaire avec l'Europe ou le continent américain rendait les appels téléphoniques difficiles, en plus d'être coûteux et frustrants. Les courriers électroniques et Internet ont révolutionné les possibilités de faire des affaires ou de garder le contact avec des Chinois. En outre, les courriers électroniques correspondent mieux au mode chinois de négociation, car ils laissent le temps de réfléchir avant de répondre. Les individus y ont aussi gagné en autonomie, car beaucoup d'employés disposent d'un ordinateur. Il leur donne la liberté de communiquer directement avec leurs contacts occidentaux sans que le message transite par plusieurs strates de bureaucratie. Atteindre au départ la bonne personne risque toujours de prendre du temps, mais les choses vont ensuite beaucoup plus vite.

La révolution du portable

Jusque dans le milieu des années 1990, il était plus rapide de traverser Pékin ou Shanghai en taxi que de joindre un interlocuteur au téléphone. Les Chinois n'avaient que des lignes communes, une seule parfois pour tout un immeuble. Il n'y avait aucun respect de la vie privée, un temps fou pouvait s'écouler avant que la bonne personne prenne le combiné et le son était d'une qualité déplorable. Les employés avaient donc tendance à utiliser le téléphone du bureau pour passer tous les appels qu'il leur était impossible de passer de chez eux. Ils étaient donc également injoignables dans le cadre de leur fonction. Pour ne rien arranger, les Chinois avaient la hantise d'attraper la tuberculose à cause du combiné d'un téléphone partagé. En conséquence, ils posaient souvent un mouchoir dessus, ce qui les rendait encore plus inaudibles. Conséquence de l'obsession du secret qui régnait dans les années 1960 et 1970 et d'un défaut d'investissement dans les infrastructures, les annuaires comme les plans de ville étaient pratiquement inconnus.

L'introduction du téléphone portable a eu un immense impact sur tous les aspects de la vie. En 2008, l'agence de presse Xinhua (Chine nouvelle) estimait que le pays comptait 592 millions d'utilisateurs de portables. Un texto sur deux, dans le monde, part de Chine. Le coût local de cette prestation est en effet très faible.

De tous les extraordinaires changements survenus depuis la mort de Mao, aucun, probablement, n'a plus contribué à la liberté individuelle que l'essor des téléphones portables. En 2007, le *Washington Post* rapportait que, dans la belle ville côtière de Xiamen, des opposants à un projet d'usine chimique firent descendre dans la rue plus de 10 000 personnes avec pour seules armes leurs portables. Quand la police essaya d'arrêter le défilé, les organiseurs envoyèrent des textos et des photos à des blogueurs de la grande cité voisine de Canton. La nouvelle passa immédiatement sur Internet alors que les journalistes traditionnels qui couvraient la manifestation n'eurent pas le courage d'en parler. Ainsi, cette utilisation efficace des nouvelles technologies a permis de contourner les censeurs et d'obtenir qu'un débat national sur le projet d'usine soit ouvert.

Les visiteurs peuvent acheter des cartes SIM à placer dans leur propre appareil s'il est débloqué ou acheter des téléphones d'occasion prééquipés dans de minuscules boutiques situées hors des grandes avenues. Mieux vaut vous faire accompagner pour éviter les pièges dans lesquels peuvent tomber les acheteurs non-avertis. Ainsi, certains réseaux très bon marché ne desservent que des zones limitées. N'oubliez pas non plus, si vous communiquez par SMS, que certains portables chinois ne prennent pas en compte l'alphabet latin.

Les techniques de négociation

Nous nous intéressons dans ce chapitre à la dimension culturelle et sociale des échanges commerciaux et d'autres relations professionnelles, comme celles concernant les universitaires ou les scientifiques. Pour les lecteurs intéressés par les détails pratiques de la création d'entreprise ou des relations d'affaires en Chine, une liste d'ouvrages et de sites Internet utiles conclut ce livre.

Quand « non » devient « peut-être »

Dans le cadre d'une relation professionnelle, un Chinois peut considérer qu'un « non » tranché serait embarrassant pour tout le monde. Pour exprimer son désaccord, il essaiera alors de passer par des méthodes indirectes, comme éluder la question ou rester silencieux. Son interlocuteur occidental doit se montrer à l'écoute et apprendre à interpréter les signaux émis. Dans certains cas, la personne qui semble tergiverser a sincèrement besoin de consulter ses supérieurs. Dans d'autres, vous en êtes sans doute arrivé au point où, sans concessions de votre part, les discussions ne peuvent pas aller beaucoup plus loin et risquent de tourner court.

Il est essentiel d'être ponctuel dans les relations professionnelles en Chine. Vos interlocuteurs ne vous feront pas attendre et vous devez mettre un point d'honneur à ne pas les faire attendre non plus. Il est tout aussi important d'éviter de regarder sa montre à tout moment et de laisser entendre que vous avez hâte d'en finir avec la discussion.

Une demande de « commission » ou autre forme de dessous de table prend en général une forme indirecte. Si la requête est exprimée sans détour, le refus peut être formulé en ces termes : « Mon pays rend de tels paiements illégaux et mon entreprise aurait de graves problèmes si j'en accordais un. » Il existe d'autres moyens d'arriver à un arrangement profitable aux deux parties. Pour beaucoup de Chinois, aucune récompense ne peut égaler un voyage en Occident permettant d'étudier le fonctionnement de votre société et de faire un peu de tourisme. Mais ne prenez pas d'engagement que vous n'êtes pas sûr de tenir. Lors de son premier séjour à Pékin, un producteur de télévision britannique promit un stage à Londres au fils d'un professeur qui l'avait aidé. Malheureusement, à son retour en Grande-Bretagne, il ne put obtenir des autorités britanniques qu'elles accordent un visa au jeune homme. Votre interlocuteur aura tendance à supposer que si votre organisation vous a envoyé, c'est que vous êtes puissant. Et que vous avez donc le pouvoir d'accomplir vos promesses. Si vous avez un doute concernant ce que vous arriverez à obtenir pour lui, précisez-le.

Se contenter de peu

Les Occidentaux ont du mal à concevoir qu'une réunion s'achève sans un résultat concret, même s'il ne s'agit pas d'une décision mais juste d'un plan d'action ou de l'engagement de se revoir. En général, on établit un compte-rendu des discussions. Les réunions en Chine aboutissent moins souvent à du concret, du moins pas aussi rapidement. Elles offrent d'abord un cadre où exposer des positions qui ont été décidées à l'avance. Il y a rarement un planning. C'est un strict respect des rangs hiérarchiques qui décide qui parle, et il est grossier de couper la parole. Toutefois, les entreprises les plus modernes et les plus dynamiques évoluent rapidement, et les réunions y seront plus le lieu de concessions de part et d'autre auxquelles sont habitués les Européens. Mais la bureaucratie comme les institutions établies de longue date mettent du temps à changer.

Soigner la préparation

Que vous vous prépariez soigneusement à une réunion en Chine la rendra plus profitable à toutes les parties

Attendez-vous à des interruptions

Les interruptions liées aux sonneries de téléphone portable ne sont pas considérées comme impolies en Chine, de la même manière, peut-être, qu'il est normal de bavarder pendant une représentation de l'opéra de Pékin. Mais un étranger sur le point de s'adresser à un public ne commettra pas une incorrection en demandant à ce que les portables soient éteints. Les Occidentaux ne semblent pas avoir autant de facilité que les Chinois à s'accommoder des distractions causées par un bruit constant.

concernées. Les documents décrivant votre organisation, vos objectifs et votre projet auront été étudiés et discutés avec une minutie et une bonne volonté dont beaucoup de responsables européens ne peuvent que rêver ! Mieux vaut arriver avec un ensemble clair de cibles précises auxquelles les deux parties auront eu le temps de réfléchir. Et évitez de transformer la rencontre en une espèce de *brainstorming* comme les Occidentaux ont parfois tendance à le faire.

Les décisions finales ne sont pas toutes finales

La signature d'un contrat peut prendre beaucoup de temps. Réussir à le faire traduire en chinois de votre côté accélérera un peu les choses. Préparez-vous à des demandes de modifications même après qu'il a été signé. Les relations à long terme revêtent plus d'importance que les transactions vite conclues.

Travailler en Chine

Les Chinois partent au travail très tôt, mais n'utilisent pas leur temps au mieux. Ils le reconnaissent eux-mêmes par une sentence : « En Occident, vous gaspillez tout sauf le temps ; en Chine, nous ne gaspillons rien sauf le temps. » Dans le secteur privé comme dans le secteur d'État, le nombre élevé d'employés fait qu'ils n'ont pas toujours de quoi s'occuper. Par temps chaud, une sieste (*xiuxi*, c'est-à-dire « repos ») prolonge souvent la pause déjeuner. Les gens restent rarement travailler tard et rentrent vers 16 ou 17 heures. L'encombrement des transports publics leur vaut de longs et fatigants trajets de retour.

La ponctualité est une règle d'or en Chine. Néanmoins, une fois sur place, l'urgence ne s'impose plus. Le rapport au travail n'est pas le même qu'en Occident. Un producteur avait l'habitude que ses techniciens restent sur le pont 10 heures par jour pendant le tournage d'émissions de télévision. Il a dû s'adapter à ne pouvoir compter sur ses équipes chinoises que la moitié de ce temps, une fois déduits le déjeuner et les diverses pauses. Ceci dit, parlez-en à vos partenaires chinois. S'ils savent ce dont vous avez besoin et ce que vous attendez d'eux, ils essaieront toujours de vous satisfaire. Il n'existe pas de protection syndicale en Chine, et les réglementations sanitaires et de sécurité y sont très laxistes. Pour le meilleur ou pour le pire, les clauses de chaque contrat dépendent donc plus ou moins de l'institution qui le signe…

Les vacances

Du temps de Mao, les vacances étaient presque inconnues. Les congés payés se développent, en particulier pour le Nouvel An chinois (février), la fête du Travail (1er mai) et la Fête nationale (1er octobre). Accorder une semaine de repos à l'occasion de ces célébrations officielles a pour but d'encourager les Chinois, par nature soucieux d'épargner, à contribuer à l'effort économique en sortant dépenser leur argent dans les boutiques et les restaurants. Peut-être s'agit-il aussi de rendre ces journées patriotiques plus engageantes. Le succès semble au rendez-vous.

Les congés scolaires suivent un rythme similaire au nôtre, à l'exception notable de Noël, que les Chinois ne célèbrent pas. L'année scolaire commence en septembre. Les vacances d'hiver s'étendent de la mi-janvier à la fin février, et les vacances d'été de la mi-juillet à la fin août. Les dates d'hiver changent chaque année en fonction de la fête du Printemps.

Trouver du travail en Chine

Vous devrez persévérer, mais l'éventail de possibilités s'est étendu. Vous n'avez pas besoin d'avoir un emploi avant votre départ, vous devrez juste changer de type de visa si vous en décrochez un. Il n'existe pas de meilleur moyen de découvrir la Chine et ses habitants que d'y travailler. Vous cessez d'être un étranger venu juste s'amuser pour devenir un collègue qui essaie de contribuer à la prospérité du pays.

Les styles de communication en affaires

Voici un résumé des attentes culturelles traditionnelles de chaque partie dans la relation. Cependant, les choses évoluent au fur et à mesure que la Chine s'ouvre sur l'Occident.

	OCCIDENT	CHINE
Usage du nom	Utilisation du prénom assez rapide.	Plus de solennité. Préférence pour les titres.
Humour	Humour et plaisanteries servent à briser la glace.	Pas ou peu d'humour lors d'une première réunion. Au mieux, une plaisanterie soigneusement préparée.
Interruption	Liberté d'interrompre pour émettre son propre point de vue. Les interlocuteurs sont formés à interpréter le langage corporel de la personne prête à interrompre.	Toute interruption serait impolie… Sauf si elle vient d'un téléphone portable ! Des employés viennent murmurer des messages au chef, souvent à propos de l'organisation pratique de la réception du visiteur. Chuchoter avec un collègue n'est pas un manque de respect envers la personne qui parle.

S'assurer d'avoir été compris	Une présentation doit être structurée et finir par une synthèse de son contenu. Il est normal de demander des précisions. C'est l'orateur qui est responsable d'un éventuel manque de clarté.	Être bien compris n'est pas une priorité, peut-être parce qu'à l'école, les Chinois ont appris à écouter en silence. Dire « Je ne comprends pas » pourrait faire perdre la face.
Discussion ou accord	Les gens s'attendent à confronter leurs arguments. Il n'est pas impoli de s'opposer. C'est souvent le moyen d'être remarqué et promu.	Les Chinois peuvent avoir de très vives discussions entre eux, mais pas devant un étranger, même s'ils le connaissent et lui font confiance.
Temps d'attention	Court et de plus en plus court. Les orateurs craignent que les auditeurs s'ennuient et essaient d'en venir au fait rapidement.	Plus long. Les Chinois ont l'habitude d'écouter patiemment et en silence. Ils n'en viennent pas au fait rapidement. Vous risquez de n'obtenir l'information que vous attendez qu'aux tout derniers moments de la réunion.

Contact oculaire	Prolongé, il met mal à l'aise. Trop court, il inspire la méfiance.	Les Chinois regardent dans les yeux. Et ils considèrent les personnes qui détournent le regard comme indignes de confiance.
Compliments	Politesse et compliments sont appréciés tant qu'ils restent modérés et n'apparaissent pas comme de la flatterie.	La flatterie fait partie du processus de négociation. Elle consiste à faire l'éloge des gens devant leurs pairs et à exprimer de la déférence envers les supérieurs. À l'inverse, il est très grossier de faire perdre la face par des critiques ouvertes, en se mettant en colère ou en tournant en ridicule un point de vue.
Se faire obéir	Même exprimés de manière amicale, ordres et instructions sont donnés sans détour. Ils peuvent être discutés.	Les ordres sont donnés de façon plus indirecte, mais il est attendu qu'on s'y soumette. Les instructions peuvent être vagues (c'est plus sûr) mais pas contestées.

Comprendre la langue

Mandarin, cantonais et autres formes de chinois

La topographie de la Chine a toujours rendu difficiles les transports et les communications. Il n'est donc pas surprenant qu'au cours de sa longue histoire, la langue des Han ait pris des formes multiples. On les qualifie en général de « dialectes », mais comme dans de nombreux cas leurs locuteurs ne se comprennent pas les uns les autres, les considérer comme des langues distinctes se révèle plus utile. Il en existe sept principales : le mandarin, le cantonais, le shanghaïen, l'hakka, le minnan, le min oriental et le wu de Wenzhou. Maintes variations locales mineures les complètent.

Le mandarin est la langue officielle utilisée comme médium d'éducation aussi bien en République populaire qu'à Taïwan. Il sert de moyen de communication commun au sein de la population chinoise. En République populaire, il porte les noms de *putonghua* (parler habituel), *hanyu* (langue des Han) et *zhongwen* (chinois). Les Taïwanais l'appellent *guoyu* (langue nationale) ou *hanyu*.

En théorie, tout Chinois devrait être capable de le parler, même s'il préfère utiliser son dialecte natal. En pratique, il n'en va pas toujours ainsi.

Les accents locaux rendent difficile la compréhension du mandarin que l'on peut entendre dans des régions reculées, ou tel que le prononcent des individus peu éduqués. Il arrive que l'interprète lui-même ait des problèmes. Pour compliquer un peu plus la situation, les phonèmes « r » et « n » n'existent pas dans certains dialectes. Le « l » leur est alors substitué. Ainsi, à l'ouest de Pékin, la phrase « *Ni shi neiguo ren ?* » (« De quel pays êtes-vous ? ») deviendra « *Li shi leiguo len ?* ». Cette particularité est à l'origine d'innombrables plaisanteries faites par d'« honolables étlangers ».

Le chinois est une langue tonale de la famille des langues sino-tibétaines. Le français appartient à la famille des langues indo-européennes, d'une structure très différente. Pour parler le chinois, vous aurez peu de problèmes de prononciation de sons, car le français en comprend davantage. Ce sont les tons qui vont être difficiles. La plupart des mots chinois ne comptent qu'une syllabe représentée par un unique caractère. Même si elles ont des formes écrites différentes, d'autres langues de l'Asie du Sud-Est fonctionnent sur le même principe, entre autres le vietnamien, le birman et le thaïlandais.

Mais chacune de ces syllabes peut correspondre à plusieurs mots selon le ton avec lequel elle est émise. Par exemple, *tang* signifie « soupe » en ton égal et « sucre » en ton montant. *Gou* correspond à « assez » en ton descendant et à « chien » en ton descendant et remontant. Par chance, il n'existe que quatre tons en mandarin : le ton plat ou égal, le ton montant, le ton descendant et remontant et le ton descendant. Le cantonais en compte neuf.

Les étrangers sont souvent décrits comme « sourds aux tons » car ils ont du mal à les distinguer – ne parlons pas de les reproduire. Il faut beaucoup d'entraînement pour y parvenir mais, comme dans le cas des baguettes, demander à vos relations chinoises de vous aider peut constituer une bonne entrée en matière. Vous ne ferez guère de progrès, mais vos hôtes s'amuseront beaucoup. Ne désespérez pas pour autant. Apprendre une langue ne consiste pas à mémoriser des mots isolés privés de contexte. Maîtriser quelques phrases simples reste assez facile. Et les réactions des Chinois feront plus que récompenser les efforts exigés. Peu à peu, une meilleure connaissance du contexte et la bonne volonté de vos interlocuteurs vous aideront à vous améliorer.

Comprendre l'anglais chinois

Même s'il reste encore peu répandu, l'anglais est la langue européenne de loin la plus apprise par les Chinois. Elle n'est pas pour autant facile pour eux. Selon l'auteur Jun Chang, dans une remarque qui pourrait s'appliquer à beaucoup de Français, ils « trouvent l'anglais difficile à prononcer et ont du mal à comprendre le langage parlé ». Et quand ils s'expriment, ils ont tendance à séparer non seulement les mots, mais aussi les syllabes d'un même mot comme ils le feraient en chinois. Il en résulte un phrasé un peu haché, notamment quand la langue maternelle du locuteur est le cantonais. Dans les grandes villes, les personnes qui ont quelques bases en anglais n'hésitent toutefois pas à aborder des étrangers dans la rue pour le plaisir d'une petite conversation. N'oubliez pas que les termes « s'il vous plaît », « merci » et « désolé » sont peu utilisés en Chine. N'y voyez pas de l'impolitesse.

Le pinyin : la romanisation des caractères chinois

La République populaire de Chine a officiellement instauré en 1979 le système de transcription utilisé dans ce livre, le *pinyin*. Il remplaçait le *Wade-Giles*, mis au point par Thomas Wade au XIXe siècle et perfectionné par Herbert Giles au début du XXe siècle. Il en résulte parfois des confusions sur des noms de lieux, Soochow étant ainsi devenu Suzhou. Si vous tenez compte des accents régionaux, des évolutions de certains noms au fil du temps et de la volonté du gouvernement de siniser les régions périphériques peuplées de minorités (en rebaptisant par exemple « Kachgar » en « Kashi »), il est remarquable que tout le monde ne passe pas son temps à se perdre. Et il faut ajouter à cela les différents noms que peuvent avoir les villes du Sud. Pour les Chinois parlant mandarin, soit 70 % de la population, Hong Kong s'appelle Xiang Gang (« port parfumé »).

Néanmoins, la standardisation apportée par le *pinyin* a d'immenses avantages. Pour commencer, il permet un classement alphabétique, contrairement aux idéogrammes, et donc d'écrire des annuaires et des dictionnaires. Les claviers d'ordinateurs et de téléphones portables l'utilisent également. Par exemple, si vous tapez un « m » et un « a » latins, sur l'écran apparaissent les différents caractères servant à écrire le mot « ma » selon ses diverses significations. Il ne vous reste plus qu'à sélectionner le bon.

La prononciation du pinyin

En *pinyin*, les lettres ne correspondent pas toujours strictement aux mêmes sons qu'en français.

Voici une liste des principales correspondances :

h = r comme dans « rat »

j = dj bref (comme dans « jeep »)

q = tch (comme dans « match »)

x = ch (comme dans « chat »)

zh = dj (comme dans « djinn »)

ch = tch (comme dans « tchin-tchin »)

sh = ch chuinté (comme dans « short »)

r = j (comme dans « jouet »)

z = dz

c = ts (comme dans « tsar »)

w = comme le ou de « ouais »

i = i

i derrière z, c, s, zh, ch, sh = e très sec

u = ou (comme dans « loup »)

er = eur (comme dans « heure »)

ai = aï (comme dans « paille »)

pond. Par exemple, une professeur européenne de Pékin voulait acheter un dé pour permettre à sa classe de profiter de jeux de plateau éducatifs pendant ses cours. Bien entendu, dans un pays où jouer est une passion, tous ses élèves connaissaient le mot pour cet objet. Mais personne ne savait l'écrire pour l'aider à se faire comprendre dans la boutique, peut-être parce que les communistes avaient interdit les jeux d'argent pendant des dizaines d'années. Les étudiants finirent par trouver un très vieil homme qui n'avait pas oublié. L'idéogramme avait « os » pour radical, souvenir d'une époque où le plastique n'existait pas. Mais qu'il écrive le caractère ne servit à rien. Aucun des jeunes vendeurs ne put le déchiffrer !

Pour un étranger, il est bon de connaître quelques idéogrammes (« sortie », « entrée », « toilettes », etc.), mais il est encore plus utile de maîtriser un peu le langage parlé. Désormais, les grandes villes abritent beaucoup de panneaux, entre autres routiers, écrits en pinyin ou en anglais. Ils restent rares hors de ces centres urbains.

La calligraphie

Vous remarquerez dans les maisons chinoises des décorations murales ne comportant que des idéogrammes, souvent des poèmes célèbres datant de la dynastie Tang ou des dictons très répandus. Leurs propriétaires les admirent pour la qualité de leur calligraphie, un art aussi apprécié que la peinture. De la même manière qu'un Européen reconnaîtra un Picasso ou un Monet, les connaisseurs savent distinguer les styles des calligraphes réputés. Ceux-ci ont conjugué leur talent avec celui d'illustres peintres en apportant leur contribution à leurs œuvres, souvent sous la forme d'éloges du tableau. Ils ont ainsi augmenté leur valeur. Il n'existe rien de comparable en Occident. Ce serait comme si la cote d'un Rembrandt grimpait d'un ou deux millions d'euros parce que Cézanne s'est laissé aller sur la toile à exprimer son admiration de la composition.

Alors que les Occidentaux placent l'originalité au-dessus de tout (y compris au-dessus des qualités esthétiques, parfois), les Chinois sont restés pendant des siècles fidèles à leurs principes confucéens en s'efforçant de constamment recréer l'âge d'or d'antan. Les techniques sont enseignées de manière à ce qu'un élève arrive à peindre exactement de la même manière qu'un maître mort des siècles avant sa naissance, et les sujets (bambous, branches de prunier en fleurs, etc.) ne changent pas. Les jeunes peintres sont en train de rompre avec cette tradition. Ils profitent à la fois d'une plus grande liberté et d'une demande pour un art moderne chinois, un marché qui doit beaucoup à des expatriés enrichis qui désirent investir dans leur culture d'origine. Comme toujours, engagement pour des idées et pragmatisme marchent main dans la main.

Annexes

Bibliographie sélective

Découvrir la Chine

- Guides Bleus *Chine – De Pékin à Hong Kong*, Hachette Tourisme.
- Guide du Routard *Chine*, Hachette Tourisme.
- Guide Voir *Chine*, Hachette Tourisme.
- Yann Layma, José Frèches, Anne Loussouarn et Catherine Zittoun, *Chine*, Éditions de la Martinière, 2008.

Découvrir le chinois

- *Chinois*, guide de conversation Routard, Hachette
- Liu Mengjun, *Le Chinois pour les Nuls* (avec un kit audio), Éditions First, 2009.
- Catherine Meuwese, Gil Macagno et Joël Bellassen, *Les 505 caractères chinois à connaître*, Ellipses Marketing, 2009.

Histoire, économie, politique

- Jean-Pierre Cabestan, *La Politique internationale de la Chine : entre intégration et volonté de puissance*, Presses de Sciences Po, 2010.

- Bruno Cabrillac, *Économie de la Chine,* PUF, 2009.
- Collectif, *La Chine qui vient,* Courrier international, 2010.
- John Fairbank et Merle D. Goldman (trad. Simon Duran), *Histoire de la Chine, des origines à nos jours,* Tallandier, 2010.
- Pierre Haski (trad. Michel Pencréac'h), *Les Forçats de la faim. Dans la Chine de Mao,* L'Esprit frappeur, 1999.
- Pierre Haski, *Cinq ans en Chine : Chronique d'une Chine en ébullition,* Les Arènes, 2006.

Les affaires

- Benoît Ams, *Les Nouvelles Pratiques du business en Chine,* Maxima-Laurent du Mesnil éditeur, 2008.
- Chloé Ascencio et Dominique Rey, *Être efficace en Chine : le management à l'épreuve de la culture chinoise,* Village Mondial, 2010.
- André Chieng, *La Pratique de la Chine,* Le Livre de Poche, 2007.
- Emeric Lebreton, *Faire des affaires avec les Chinois,* Éditions Organisation, 2010.
- Olivier Marc, *Business made in China,* Choiseul Institut Edition, 2010.
- Anne-Laure Monfret, *Comment ne pas faire perdre la face à un Chinois ? Petit guide à l'usage de ceux qui travaillent avec la Chine,* Dunod, 2010.
- Mission économique Ubifrance à Pékin, *L'Essentiel d'un marché – Chine,* Ubifrance, 2009.

- Carine Pina-Guerassimoff, *La Chine dans le monde : panorama d'une ascension*, Ellipses, 2011.
- Jean-Louis Rocca, *Une sociologie de la Chine*, La Découverte, 2010.

Quelques sites Internet

http://www.amb-chine.fr
L'ambassade de la République populaire de Chine à Paris.

http://www.otchine.com
Le site officiel du tourisme en Chine. Une aide précieuse pour préparer son voyage.

http://www.travaillerenchine.com
Le site de la Chambre de commerce et d'industrie française en Chine. Intéressant et sérieux : informations, petites annonces et blogs

http://www.chine-informations.com
Site généraliste francophone. Actualités et sujets de fond.

Index